BT
REPORT

국내외 풍력관련 산업분석보고서

저자 비피기술거래 비피제이기술거래

㈜ 비티타임즈

1

—

서론

1. 서론

지구환경 파괴로 인한 인간의 피해는 이제 더는 남의 일이 아니다. 폭염, 태풍, 폭우 등의 이상기후 현상이 반복적으로 나타나면서 많은 사람들이 '기후위기'로 인한 피해를 우려하고 있다. 이에 유럽 연합은 기후위기 극복을 위해 2050년 탄소중립을 목표로 여러 가지 정책을 실행중이며, 온실가스 배출량이 가장 많은 중국 또한 최근 2060년 탄소중립을 선언했다. 우리 정부도 '그린 뉴딜' 정책 발표를 통해 저탄소 친환경 경제로의 도약을 위한 전략을 제시했으며, 국회에서 통과된 '기후위기 비상대응 촉구 결의안'에는 2050년 온실가스 순배출제로 목표가 포함됐다.

이러한 세계적 상황에 비추어보면 기후위기를 극복하기 위한 에너지 전환과 이를 통한 새로운 경제 시스템 도입은 '글로벌 스탠다드'라고 해도 과언이 아니다. 특히 재생가능한 에너지의 확대는 에너지를 스마트하게 절약하는 방법과 함께 탄소중립을 실현하기 위한 중요한 에너지 전환 방안 중 하나이다.

실제로 재생에너지 투자가 전 세계적으로 확대되고 있고, 각국은 에너지 정책 패러다임의 전환으로 양질의 에너지를 저렴하고 안정적으로 공급하는 것에 주안점을 두고 있다. 2018년에 발표된 IPCC 보고서는 기후위기를 극복하기 위해 2050년 전력량의 70~85%를 재생에너지로 공급해야한다고 밝히고 있다. 또한 전기차, 제로에너지빌딩, 그린수소 등 에너지 전환을 위한 새로운 대안들이 모두 재생에너지를 사용한다는 것을 고려하면 재생에너지 확대의 필요성은 더욱 더 강조된다.[1] 신기후체제의 등장은 신재생에너지 산업의 전환점이 될 것이다. 따라서 석탄발전을 신재생에너지를 이용한 발전으로 대체할 것으로 예상되는 바, 신기후체제 출범에 따른 최대 수혜 산업은 신재생에너지 산업이 될 것이다.[2]

신재생에너지는 그 자체로 높은 부가가치를 지니고 있는 분야이다. 즉, 환경 문제뿐만 아니라 일자리 창출 및 자원고갈에도 대비할 수 있는 이른바 지속가능 한 성장의 필수 요소인 것이다. 신재생에너지란 기존의 화석연료를 변환시켜 이용하거나 햇빛·물·지열 ·강수·생물유기체 등을 포함하여 재생 가능한 에너지를 변환시켜 이용하는 에너지를 뜻한다. 신재생에너지는 미래에너지, 녹색에너지, 클린에너지 등 다양한 용어와 함께 혼용하고 있지만, 한국 정부에서 공식적으로 사용하고 있는 용어는 신

---

1) 그린 뉴딜을 위한 태양광 혁신기술 개발, 에너지신문, 2020.10.06
2) 2016년 세계 신재생에너지산업 전망 및 이슈, 2016, 해외경제연구소

재생에너지다. 미국 에너지부에서 사용하고 있는 재생 에너지 개념에다가 수소 에너지 등의 새로운 에너지를 추가하여 쓰고 있다. 신재생에너지는 석탄, 석유, 원자력 및 천연가스 등과 같은 화석연료가 아닌 태양에너지, 바이오매스, 풍력, 소수력, 연료전지, 석탄의 액화, 가스화, 해양에너지, 폐기물에너지 및 기타로 구분되고 있다. 또한 이외에도 지열, 수소, 석탄에 의한 물질을 혼합한 유동성 연료도 이에 포함된다. 그러나 실질적인 신재생에너지란, 넓은 의미로는 석유를 대체하는 에너지원으로 좁은 의미로는 신·재생에너지원을 나타낸다. 우리나라는 미래에 사용될 신재생에너지로 석유, 석탄, 원자력, 천연가스 등 화석연료가 아닌 에너지로 11개 분야를 지정하였고(신재생에너지개발 및 이용·보급촉진법 제 2조) 세분하여 보면 아래와 같다.

신에너지	연료전지, 수소, 석탄액화 · 가스화 및 중질잔사유 가스화
재생에너지	태양광, 태양열, 바이오, 풍력, 수력, 해양, 폐기물, 지열

갈수록 인구가 증가하고 산업이 발달하면서 화석 연료에 대한 수요가 늘고 있어, 자원의 고갈과 함께 국제 가격이 상승하는 등의 문제들은 전세계적인 관심사로 부상하게 되었다. 더불어 화석 연료가 지구 온난화를 일으키는 원인으로 인식되면서 그 사용량이 많은 국가에게는 불이익을 주는 등 화석 연료의 사용을 줄이려는 움직임이 활발해지고 있다. 이에 대한 해결방안으로 신재생에너지가 대두되는데, 신재생에너지는 화석연료 사용에 의한 CO2 발생이 거의 없는 화경친화형 청정에너지이며, 태양, 바람 등을 활용하여 무한 재생이 가능한 비고갈성에너지이기 때문이다. 즉, 화석연료의 고갈로 인한 자원확보 경쟁 및 고유가의 지속 등으로 에너지 공급방식의 다양화가 필요한 현시점에서 신재생에너지산업은 IT, BT, NT 산업과 더불어 차세대 산업으로 시장규모가 급격히 팽창하고 있는 미래 산업이다. 또한 최근들어 기후변화협약 등 환경규제에 대응하기 위한 청정에너지 비중이 확대되고 있는 추세이다.

특히 풍력에너지산업은 정부의 "제4차 신재생에너지 기본계획"의 발전 목표에 따른 핵심육성 산업 중 하나로, 태양광, 분야와 수소·연료전지산업과 함께 정부의 신·재생에너지 전체 R&D 예산의 약 70% 이상을 차지하고 있다. 최근 2020년 12월 발표한 '제9차 전력수급기본계획'에 따르면, 정부는 2034년까지 신재생에너지 발전 비중을 40%대까지 높인다고 밝힌 바 있는데, 이에따라 태양광에 가려 큰 주목을 받지 못했던 풍력(특히 해상풍력) 발전이 주목을 받고 있다. 태양광만으로는 신재생에너지 발전 비중을 높이기 어려워서다.

실제로 풍력 발전은 긍정적인 요인이 많다. 먼저 풍력 발전의 균등화발전비용(LCOE)이 낮아지고 있다. 분석 기관에 따라 차이가 있지만, 대략 2025년이면 해상풍력 발전의 LCOE가 현재 태양광 발전 LCOE(1MWh당 50달러 이하)와 비슷한 수준(1MWh당 60달러 내외)으로 떨어질 가능성이 높다. 한편에선 '이미 태양광 발전 LCOE와 비슷한 50달러 수준을 밑돈다'는 주장도 나온다. 영국의 금융 싱크탱크인 카본트래커 이니셔티브는 지난 2020년 4월 풍력 발전 단가가 5년 내에 LNG 발전 단가보다 저렴해질 것이라는 분석을 내놓기도 했다.

국내 풍력 발전 시장의 성장이 예상되는 것도 이런 이유에서다. 국제에너지기구(IEA)는 세계 해상풍력 시장 규모가 2040년까지 매년 13%씩 성장할 것으로 전망했다. 선진국들이 탄소배출량 줄이기에 적극적이기 때문인데, 국내 시장 분위기도 이를 따라갈 가능성이 매우 높다.[3] 민간에서도 전라북도 지방자치단체의 주도로 새만금방조제에 총 3,600억 규모의 해상풍력단지 조성이 임박해 있다. 이에 따라 풍력발전에서 생산된 전력을 수용하고 연계할만한 기반을 구축하는데 정부의 역할이 중요해졌다. 100% 민간자본으로 이루어져 파리협약에서 높은 목표치를 제시한 정부가 적극적으로 연계해야 할 필요가 있어 귀추가 주목되는 사업이다. 이 밖에도 전국 곳곳에서 풍력 및 신재생에너지 발전 사업이 진행되고 있다. 아직 업계는 전체적으로 신재생에너지를 활용한 발전 비중은 낮은 수준에 머물러 있으나, 점차 발전 효율을 높여 신재생에너지를 활용한 전기를 보급하는데 많은 노력을 하고 있다. 또한, 벌써 세계시장에서 경쟁할만한 경쟁력을 갖춘 업체도 있다.

전문가들은 1890~1900년 산업화 이전을 기준으로 지구의 평균 기온 약 2℃ 상승이 지구온난화에 따른 막대한 피해를 초래할 극적 전환점으로 보고 있다. 또한 2015년 지구 기온이 1℃를 넘어서면서 2015년 12월 파리에서 지구 온난화 방지대책을 위한 신기후변화체제[4]의 합의가 이루어진 바 있다. 합의안에 따르면 산업화 이전 대비 지구의 평균 기온상승을 1.5℃로 제한하기 위한 노력을 추구하며, 195개 당사국은 세계 자발적 온실가스 감축안을 5년마다 제출하기로 합의하였다. 단순히 합의에 그칠 수 있다는 우려도 있으나, 이를 통해 전 세계가 온실가스의 심각성에 대해 공감하고 온실가스 감축에 대한 노력이 가속화될 전망이다. 실제로 지구의 평균기온 상승을 2℃ 이내로 억제하려면 화석연료 의존에서 벗어나, 효율적 기술과 재생에너지 확대를 기반으로 저탄소 에너지 체제로의 전환이 필요하다. 이에 우리나라

3) 풍력발전 빛과 그림자, 시장 바람만큼 바람 거세려나, 더스쿠프, 2020.06.05
4) 2020년 만료 예정인 교토의정서를 대체, 2020년 이후의 기후변화 대응을 담은 기후변화협약

는 물론 전세계 많은 나라들이 기후재앙을 피하기 위해 공감대를 형성하고 있는데, 현재 선진 각국에서 활발히 기술 개발이 진행되어 실용화 단계에 접어든 신재생에너지로는 태양에너지, 풍력에너지가 주종을 이루며, 바이오매스, 지열, 파력, 조력 등을 이용한 신재생에너지 개발이 활발히 진행되고 있다. 특히, 전 세계적으로 풍력은 상대적으로 우수한 전력생산성과 효율성, 적은 설치면적 등에 힘입어 기존 전통에너지를 대체하는 주력 재생에너지 자원으로 자리매김하고 있다.

여기에 미국에선 조 바이든 민주당 후보의 대통령 당선이 확정된 데 따른 미국의 파리기후협약 복귀와 함께 유럽연합(EU)의 환경규제가 강화되는 만큼, 국내외 친환경과 재생에너지 산업의 확대가 기대된다. 때문에 앞으로 바이든 행정부의 정책이 풍력발전 산업에 어떤 영향을 미칠 것인지 업계는 촉각을 세우고 있다. 구체적으로 바이든은 2050년까지 미국 경제를 탄소 제로로 바꾸겠다고 천명하였고, 이를 위해서 총 5조 달러의 천문학적 친환경 투자를 예고한 바 있다. 이처럼 '친환경발전'이 세계적인 정책 키워드로 부상하면서, 앞으로 풍력은 주요 에너지원 역할을 할 것으로 예상된다.

2

풍력에너지

2. 풍력에너지5)6)7)

풍력 발전(Wind Power Generation)이란 발전은 바람이 가진 운동에너지를 이용하여 전기에너지를 생산하는 시스템으로, 자연 바람을 이용해서 풍차를 돌리고 풍차의 기계적 에너지를 발전기를 통해 전기적 에너지로 바꿔서 전기를 얻는 기술이다. 풍력 발전은 자연의 바람을 이용하기 때문에 청정 무공해 에너지로 현재까지 개발된 신재생 에너지 중 가장 경제성이 높은 기술로 평가받고 있다. 특히 우리나라는 바람이 많이 부는 산이나 해안선이 길은 바다가 있어, 풍력발전 설치 시 많은 전기를 생산 할 수 있는 유리한 조건을 가지고 있다.

가. 풍력발전의 원리

풍력발전의 원리는 블레이드가 회전하면서 발생하는 기계에너지를 발전기를 통해 전기에너지로 변환하는 것이다. 먼저 풍차날개에서 바람의 운동에너지를 기계적 회전력으로 변환 후, 입력된 에너지를 동력전달장치에서 증폭시긴다. 이어 발전기에서 기계적 회전력을 전기에너지로 변환하고, 전력변환장치(inverter)에서 직류전기(DC)를 교류전기(AC)로 변환시켜주면, 최종적으로 전력선 및 수용가로 전력공급이 가능해진다.

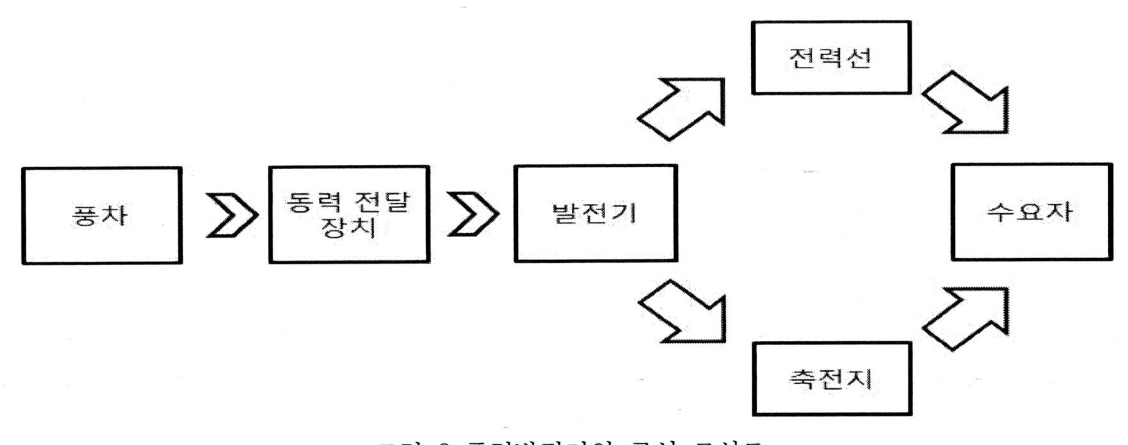

그림 3 풍력발전기의 구성 모식도

8)

5) 한국에너지공단 신재생에너지센터 홈페이지
6) 한국수력원자력 공식 블로그
7) 한국풍력산업협회 홈페이지

그렇다면 풍력 발전기는 왜 날개를 돌리는 것일까? 그 이유는 풍향에 위로 잡아당기는 힘, 즉 수직의 양력이 발생하기 때문이다. 바람이 불 때 날개의 윗면에 흐르는 공기가 밑면보다 더 빨리 움직이기 때문에 날개 윗면의 압력이 아랫면보다 낮아지면서 바로 이 양력이 발생하게 되며, 또한 날개의 바람에 대한 각도가 점점 커지면 날개의 양력도 증가하게 된다. 그런데 풍력발전기에는 양력뿐만 아니라 풍향과 같은 방향으로 발생하는 항력이라 불리는 힘도 작용하게 되는데, 이 항력은 보통 운동 방향에 닿는 면적이 커질수록 증가하게 된다. 양력은 풍력발전기의 하중을 증가시키는 요인이 되기 때문에, 회전날개를 개발할 때는 앞선 양력을 최대한으로, 항력을 최소한으로 하는 것이 가장 중요한 목표가 된다. 한편, 풍력 발전에서는 일부러 일부 에너지를 흘려보내기도 하는데, 풍력 발전기가 받는 충격을 최소화하기 위해서 설계 범위 이상의 바람 에너지는 흘려버리는 것이다.

나. 풍력발전의 구성 및 구조

풍력발전 시스템의 구체적인 구성 및 구조는 다음과 같다.

구분	내용
기계장치부	바람으로부터 회전력을 생산하는 Blade(회전날개), Shaft(회전축)를 포함한 Rotor(회전자), 이를 적정 속도로 변환하는 증속기(Gearbox)와 기동·제동 및 운용 효율성 향상을 위한 Brake, Pitching & Yawing System등의 제어장치로 구성
전기장치부	발전기 및 기타 안정된 전력을 공급토록하는 전력안정화 장치로 구성
제어장치부	풍력발전기가 무인 운전이 가능토록 설정, 운전하는 Control System 및 Yawing & Pitching Controller와 원격지 제어 및 지상에서 시스템 상태 판별을 가능케하는 Monitoring System으로 구성
Pitch Control	날개의 경사각(pitch) 조절로 출력을 능동적 제어
Stall(失速) Control	한계풍속 이상이 되었을 때 양력이 회전날개에 작용하지 못하도록 날개의 공기역학적 형상에 의한 제어

8) 출처 : 소영일, 김성준 '그린 비즈니스'

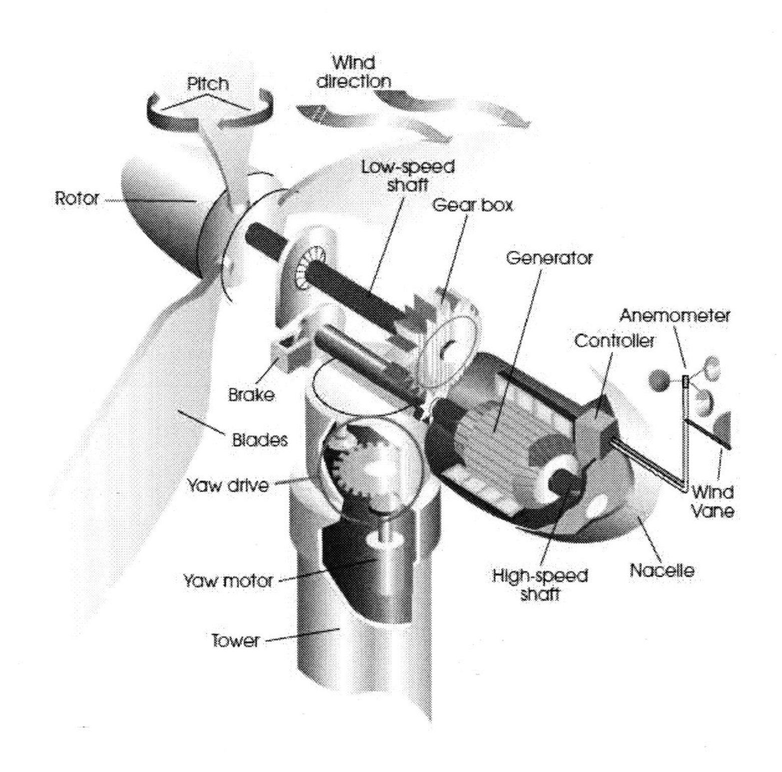

타워(Tower)	풍력발전기를 지지해주는 구조물
블레이드(Blade)	바람에너지를 회전운동에너지로 변환
허브(Hub)시스템	주축과 블레이드를 연결
회전축(Shaft) 주축(Main shaft)	블레이드의 회전운동에너지를 증속기 또는 발전기에 전달
증속기(Gearbox)	주축의 저속회전을 발전용 고속회전으로 변환
발전기(Generator)	증속기로부터 전달받은 기계에너지를 전기에너지로 전환
요잉시스템(Yawing System)	블레이드를 바람방향에 맞추기 위하여 나셀 회전
피치시스템 (Pitch system)	풍속에 따라 블레이드 각도 조절
브레이크(Brake)	제동장치
Control System	풍력발전기가 무인 운전이 가능하도록 설정, 운영
Monitoring System	원격지 제어 및 지상에서 시스템상태 판별

다. 풍력발전기의 분류[9]

1) 회전축방향에 따른 분류

가) 수평축 풍력발전기(HAWT : Horizontal Axis Wind Turbine)

수평축 풍력발전기는 개에서 개까지의 날개를 가진 다양한 종류가 있지만 현재 발전용으로 가장 많이 이용되고 있는 것은 개의 날개를 가진 프로펠러 형이다. 수평축 발전기는 구조가 간단하고 설치가 용이하며 에너지 변환효율이 우수하다는 장점은 있지만 날개 전면을 바람 방향에 맞추기 위해서는 나셀을 360도 회전시켜줄 수 있는 요잉(Yawing)장치가 필요하며, 증속기(Gear box)와 발전기 등을 포함하는 무거운 나셀(Nacelle)이 타워 상부에 설치되어 점검 정비가 어렵다는 단점이 있다.

- 프로펠라형
- 회전축이 바람이 불어오는 방향인 지면과 평행하게 설치되는 풍력발전기
- 블레이드 전면을 바람 방향에 맞추기 위해 나셀을 360° 회전시키는 요잉(Yawing)장치가 필요
- 수평축은 간단한 구조로 이루어져 있어 설치하기 편리하나 바람의 방향에 영향을 받음
- 주로 중대형급 이상은 수평축을 사용하고, 100㎾급 이하 소형은 수직축도 사용됨

---

9) 풍력발전개요, 금풍에너지(주), 2010.10.18

나) 수직축 풍력발전기(VAWT)

수직축 풍력발전기에는 원호 형 날개 2-3개를 수직축에 붙인 다리우스(Darrieus type)형과 2-4개의 수직 대칭익형 날개를 붙인 자이로밀(Gyromill type)형, 그리고 반원통형의 날개를 마주보게 한 사보니우스(Savonius type)형 등이 있다. 수직축 풍력발전기는 바람의 방향에 영향을 받지 않아 요잉장치가 필요 없으며 사막이나 평원에는 적합하지만 소재가 비싸고 수평축에 비해 효율이 떨어지는 단점이 있다.

- 다리우스형, 사보니우스형
- 회전축이 바람이 불어오는 방향인 지면과 수직으로 설치되는 풍력발전기
- 바람의 방향에 영향을 받지 않아 요잉(Yawing)장치가 불필요함
- 수직축은 바람의 방향과 관계가 없어 사막이나 평원에 많이 설치하여 이용이 가능하지만 소재가 비싸고 수평축 풍차에 비해 효율이 떨어지는 단점이 있음

2) 증속기 유무에 따른 분류[10]

풍력발전기 날개에 직결되어 회전되는 주 축(Main shaft)과 발전기 사이에 설치되어 발전기 측의 회전속도를 증가시켜 주는 장치를 증속기(Gear box) 라고 하는데, 력발전기에는 증속기를 포함하는 증속기형 풍력발전기와 증속기가 없이 발전기로 직결되는 직결형(gearlesstype) 풍력발전기가 있다.

가) Geared형

Geared형 풍력발전기는 초기 풍력터빈의 개발 단계부터 적용된 기술적 접근방법이었으며, 그동안 기술적인 발전을 거듭하면서 오늘에 이르렀고 아직도 시장의 80~90% 이상이 이 형식으로 되어 있다. 최근에는 증속비를 높여 발전기의 크기를 감소시키는 기술과 증속기형의 문제점인 진동 소음 및 하중의 불균등한 분배 등의 문제점을 해소하기 위한 기술의 개발이 활발히 이루어지고 있다.

- 회전자 → 기어증속장치 → 유도발전기 → 한전계통
- 기어드형 풍력발전시스템은 간접구동식으로 풍력터빈의 조기 개발 단계부터 적용되어 지금까지 발전되어 왔으며, 관련 시장의 대부분이 이 형식을 취함
- 정속운전 유도형 발전기를 사용하는 발전시스템이며, 높은 정격회전수에 맞추기 위한 회전자의 회전속도를 증속하는 기어장치(증속기)가 장착되어 있음.

---

10) 풍력발전, 바람이 전기를 만든다,블로거_굿가이, 2012.10.23

나) Gearless형

Gearless형 풍력발전기는 풍력터빈용 발전기(generator)의 기술이 향상되면서 증속기가 없는 형태로 개발된 것이다. 기어박스가 없기 때문에 구조가 단순하고 기계적인 응력이 감소되며, 기계적 소음도 낮다 또한 운전 유지비용이 적게 소요되며 가동(availability)도 높다는 장점이 있다. 그러나 회전속도가 느려 다극발전기를 사용해야 하기 때문에 발전기의 크기와 무게가 증가되고 가격도 비싸진다. 또한 로터와 발전기가 가까이 있어 나셀의 무게중심이 한쪽으로 쏠릴 수 있어 이를 해소하는데 타워와 기초비용이 증가되는 단점이 있다. 그러나 최근에는 관련 기술의 발달로 이러한 단점이 상당부분 해소된 혁신적인 시스템이 개발되고 있다.

- 회전자 → 동기발전기 → 인버터 → 한전계통
- 기어리스형은 가변속 운전동기형 발전기기를 사용하는 시스템이며, 중속기어 장치가 없어 회전자와 발전기가 직결되는 형태
- 발전효율이 높으나 가격이 비싸고 크기가 큰 단점이 있음

라. 풍력발전의 분류[11)]

구분	육상풍력	해상풍력
개념	- 육지에 풍력발전단지를 건설하여 발전 - 내륙 지역에 풍력 발전 설비를 건설하여 발전하는 것으로, 건설이 용이하고 경제성이 높다는 장점이 있지만 입지 조건이 좋은 지역은 이미 포화상태이고, 민원 발생, 풍력 효율 저하, 대형화의 제약 등 제약 요인이 많아 점차 해상 풍력으로 이동하는 추세	- 바다에 풍력발전단지를 건설하여 발전 - 바다를 포함하여 호수, 폐쇄된 해안 지역 등 풍력 단지를 건설하여 발전하는 것으로, 전통적인 바닥 고정형 풍력 발전기나 부유식 풍력 터빈 기술이 적용될 수 있고, 넓은 부지 확보가 가능하며 민원이 적어 풍력단지의 대형화가 가능
특징	- 바람을 이용하여 환경오염 및 고갈염려가 없음 - MW당 약 5,000㎡의 면적이 소요되며, 발전단지 내 기타 면적은 목축, 농업 등 타용도로 이용 가능 - 산지에 조성되는 진입 및 관리도로는 산림 관리를 위한 임도로 활용 가능 - 일부 단지는 관광자원화를 통해 지역경제 활성화가 이루어지고 있음	- 해상풍력의 기초구조물 설치 방식에 따라 고정식/부유식으로 구분 - 육상풍력 대비 높은 입지제약에서 자유롭고, 대형화로 높은 이용률 확보 가능 - 해상풍력 기초구조물의 인공어초 역할이 가능하여 어족자원 확대 - 해상 발전소 주변 지역 수산업(바다목장, 양식장 등) 개발 가능 - 해양레저, 관광단지 개발 및 육성을 통해 지역경제 활성화 가능
사진		

11) 한국풍력산업협회 홈페이지

마. 풍력발전의 장단점[12)]

장점	단점
• 자원이 풍부하고 재생 가능한 에너지원으로서 이점을 가지고 있다. • 공해물질 배출이 없어 청정, 환경친화적 특성을 지닌다. • 풍력단지의 관광자원화가 가능하다. 비용면에서도 현재 외국은 발전 단가가 4~5€/kWh로 핵발전 단가와 비슷한 수준이며, 핵발전의 폐기물 처리비용을 고려한다면 보다 경제적이고 친환경적인 에너지라고 할 수 있다.	• 에너지 밀도가 낮아 바람이 없으면 발전을 할 수가 없으므로 특별한 지점에만 설치할 수 있다. • 바람이 불 때만 발전을 할 수가 있으므로 지속적 발전이 곤란하여 저장장치의 설치가 필요하다. 현재 기존의 발전시설이나 태양광발전 등과 병행하여 사용하는 것으로 문제를 보완하고 있다. • 가장 큰 단점으로 지적되었던 소음발생 문제는 최근에는 풍력발전기가 대형화되면서 소음문제를 다소 해결했다.

12) 지식백과

3

풍력발전 시장분석

3. 풍력발전 시장분석

가. 시장현황13)14)15)16)

세계 풍력발전 누적 설치용량은 2007년 94GW에서 2012년 283GW, 이어 2017년에는 540GW와 2019년 651GW를 기록하며 지속적인 성장세를 보여왔다. 2019년은 전 세계에 2018년 대비 19% 성장한 60GW 이상의 풍력발전이 새로 설치된 것으로, 육상풍력 시장의 신규 설치는 54.2GW에 달했으며 해상풍력 시장은 6GW를 넘었다. 2021년은 코로나19의 영향이 있었지만, 그럼에도 풍력발전은 향후 5년간 미국과 중국의 주도로 계속해서 크게 성장할 것이라는 전망이 나왔다. 세계풍력에너지협의회(GWEC : Global Wind Energy Council)가 발표한 최신 시장 전망에 따르면, 2020년 전 세계 풍력발전 설비 신규 설치용량은 71.3GW(육상 64.8GW, 해상 6.5GW)로 추정됐다. 이는 코로나19 이전 예측 설치량(76.1GW)과 비슷한 수준으로, 당초 코로나19로 신규 풍력발전 설비 설치량이 감소할 것이라는 전망을 뒤엎은 것이다. GWEC는 코로나19 영향으로 석유, 석탄, 가스 등 타 연료들의 가격 변동성이 커지고 수요가 큰 타격을 입고 있는 상황에서도 풍력 산업은 지속해서 성장할 수 있는 여력이 있고, 경제 회복에도 기여할 수 있다는 것을 보여준다고 분석했으며, 이와 같은 전 세계 풍력발전 증가세는 2024년까지 이어질 전망이다. 실제로 GWEC에 따르면, 2020-2024 동안 세계 풍력발전 시장은 연평균 4% 성장할 것으로 전망하였다. 이는 355GW이상의 신규용량이 추가되는 것으로 2024년까지 매년 71GW가 새로 설치되는 것을 의미한다.

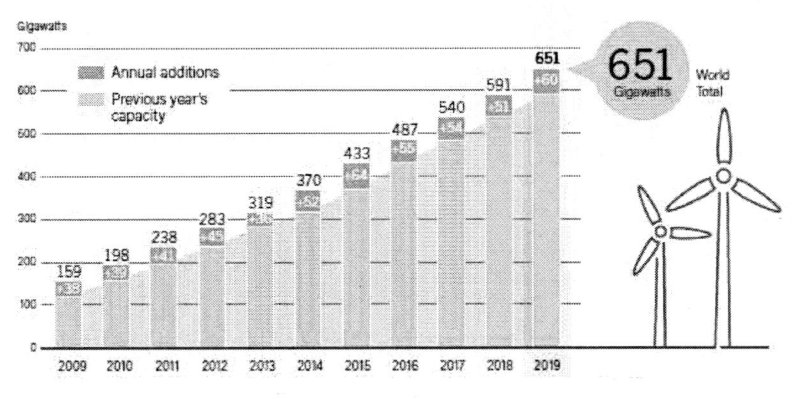

그림13 세계 풍력발전 신규 및 누적 설치용량 / Renewables 2020 global status report

---

13) 코로나에도 전 세계 풍력발전 강세…2024년 1천GW 돌파 전망, 매일경제, 2020.12.13
14) 「GWEC 2019 풍력발전 보고서」 요약본, 한국에너지정보문화재단, 2020
15) 중국 해상풍력의 발전과 미래, CSF중국전문가포럼, 2020.09.28
16) 한국에너지공단 신재생에너지센터 홈페이지

GWEC은 2020년부터 2024년까지 5년간 총 348GW 규모의 신규 풍력 설비가 설치될 것으로 전망했다. 이에 따라 2024년 전 세계 풍력발전 설비용량이 1천GW에 달할 것으로 관측되는데, 이는 2019년 전 세계 풍력발전 설비용량이 650GW임을 감안한다면 불과 5년 만에 50% 이상 증가한다는 것을 의미한다.

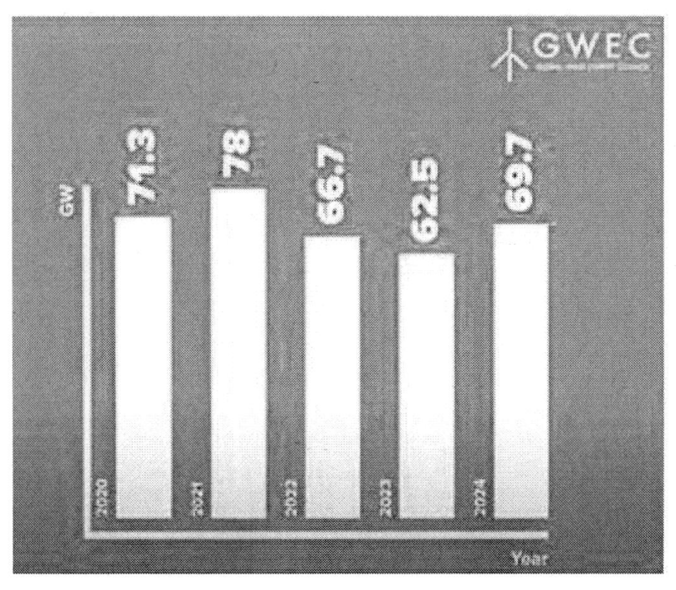

그림 14 2020-2024 예상 신규 풍력발전 설치용량 / GWEC

육상			해상		
No	국가	용량(GW)	No	국가	용량(GW)
1	중국	229.6	1	영국	9.7
2	미국	105.4	2	독일	7.5
3	독일	53.9	3	중국	6.8
4	인도	37.5	4	덴마크	1.7
5	프랑스	16.6	5	멜기에	1.5
6	브라질	15.5	6	네덜란드	1.1
7	영국	13.6	7	대한민국	0.1(73MW)
19	대한민국	1.4	8	미국	0.0(30MW)
합계		621.4	합계		29.1

표 6 2019년 주요 국가별 누적 설치용량/ Global Wind Report 2019, GWEC, 한국에너지공단 신재생에너지센터

특히 풍력발전 시장에서는 미국과 중국이 강세를 보이고 있다. 실제로 이 두 국가가 향후 풍력산업의 성장을 주도할 것이라는 분석도 나왔으며, 2024년까지 설치 예정인 신규 육상 풍력발전의 50% 이상이 풍력 발전에 보조금을 지급하는 중국과 미국에 설치된다. 특히 해상풍력은 중국의 주도하에, 2020년 세계적으로 약 6.5GW 증가했으며, 앞으로도 중국의 우세는 지속될 듯 보인다. 실제로 2019년 12월 나온 국제에너지기구(IEA) '해상풍력 발전 보고서'는 중국이 2025년에 세계 최대 규모의 해상풍력발전 용량을 갖추고, 향후 20년간 약 25배 성장할 것으로 전망한 바 있다. 또한 미국의 경우도 2019년 풍력 발전량이 사상 처음으로 수력 발전량을 제치며 재생에너지 발전원 1위에 등극하기도 했다. 이런 추세에 힘입어 EIA는 미국 내 풍력발전 비중이 2019년 전체 대비 7.4%에서 2020년과 올해에는 각각 8.8%, 10.3%로 늘어날 것으로 전망했다.

지역별과 나라별로 살펴보자면, 아시아태평양 지역이 2019년 신규 설치의 50.7%를 차지하며 세계 풍력발전을 계속해서 이끌고 있다. 이어 유럽(25.5%), 북미(16.1%), 라틴 아메리카(6.1%), 아프리카·중동(1.6%)이 차례로 뒤따르고 있다. 2019년 신규 설치의 5대 시장은 중국, 미국, 영국, 인도와 스페인이였으며, 이 5개 시장은 당해 신규 설치의 70%를 차지했다.

2019 지역별 신규 설비용량(%)　　상위 5개국 신규 설비용량 비중 (%)

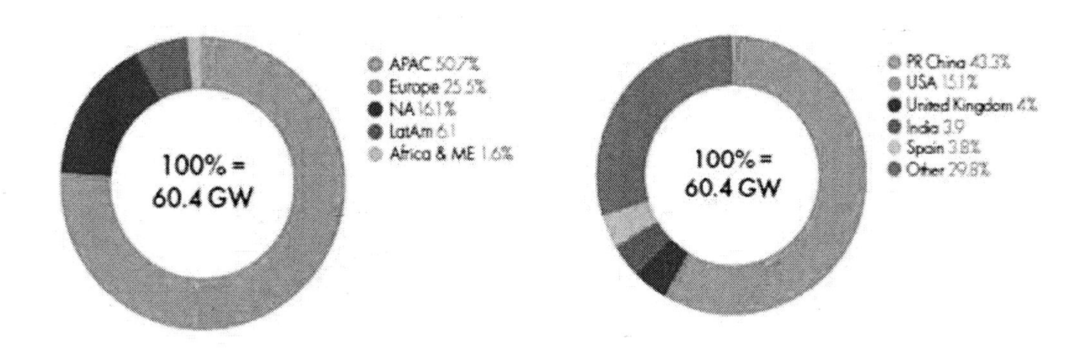

그림 15 「GWEC 2019 풍력발전 보고서」 요약본 / 한국에너지정보문화재단

이어서 육상 풍력발전과 해상 풍력발전으로 구분해서 살펴보자. 다음 그래프는 풍력발전(육상 및 해상)의 역대 누적 설치와 신규 설치량을 보여주는 자료이다. 그래프를 통해 확인 가능하듯, 풍력발전의 설치량은 꾸준한 성장률을 보이고 있다.

역대 누적 설치(육상 및 해상)

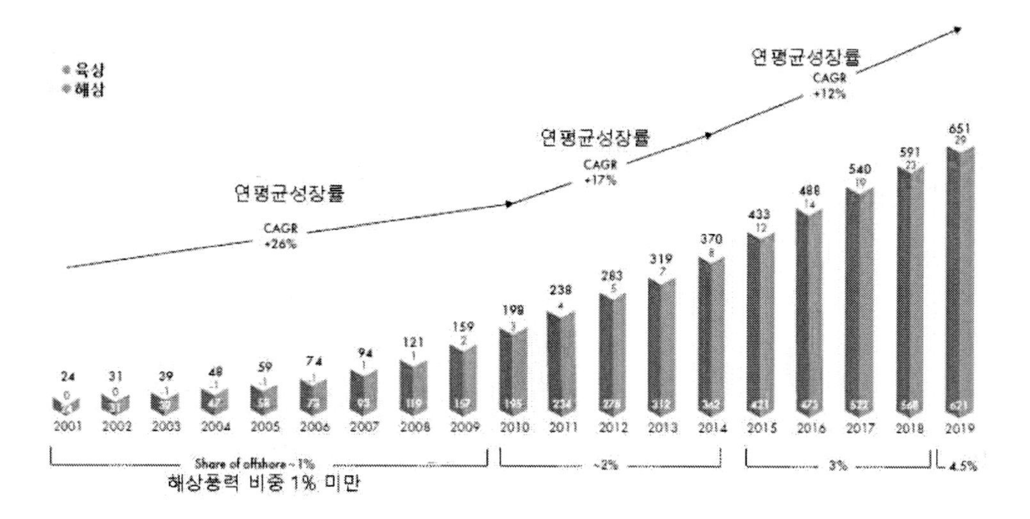

역대 신규 설치(육상 및 해상)

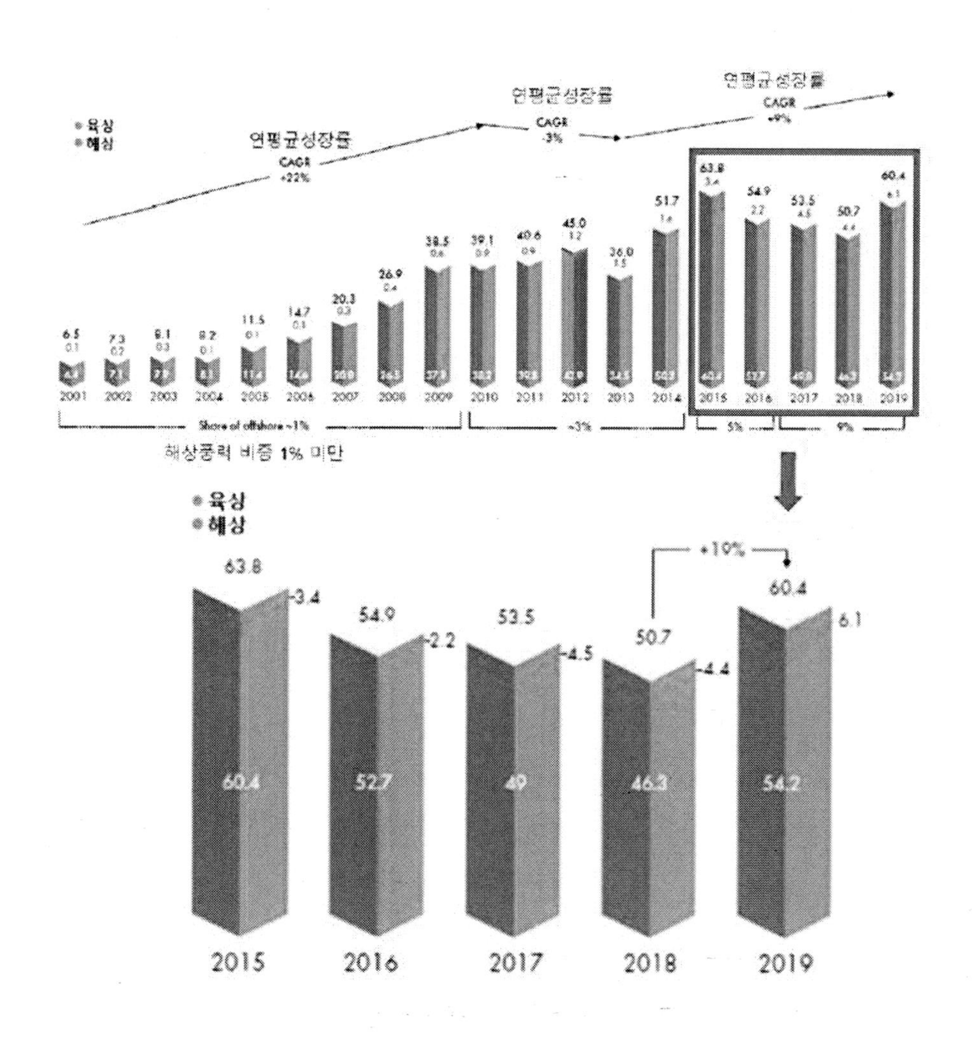

<육상 풍력발전 시장>

2019년 전 세계적으로 육상풍력의 누적 설비용량은 621GW였으며, 전년 대비 17% 성장한 54.2GW의 육상풍력이 신규로 추가되었다. 특히 세계 최대 풍력발전 시장인 중국은 23.8GW의 육상풍력을 전력망에 연결시켰으며, 전체 설치량은 230GW에 달한다. 2019년 두 번째로 큰 시장은 미국이었다. 미국은 9.1GW를 신규 설치하였으며, 전체 육상풍력은 100GW를 넘었다. 미국과 중국을 제외한 상위 5개 시장에는 인도(2.4GW), 스페인(2.3GW), 스웨덴(1.6GW) 순이었다.

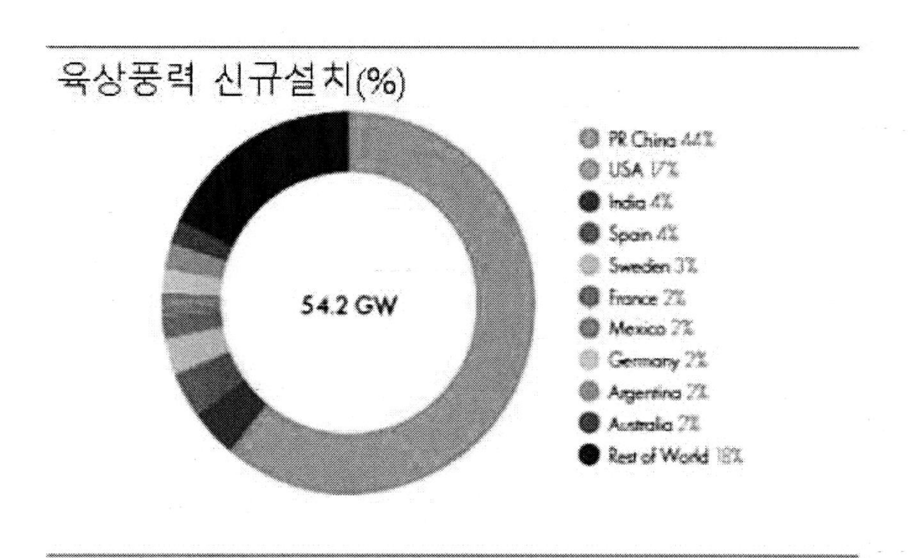

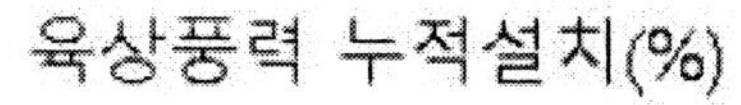

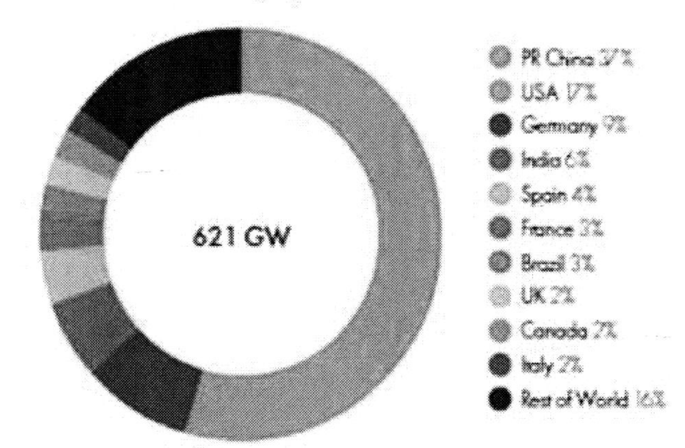

<해상풍력발전 시장>

최근 해상풍력은 글로벌 풍력발전 시장을 선도하고 있는데, 지난 2019년 해상풍력 신설 규모는 6.1GW였고, 이는 전체 풍력발전 신규 설치의 10%를 차지하는 규모이다. 특히 중국은 2019년 한 해 동안 2.3GW 이상의 해상풍력을 설치하여 신기록을 세운 바 있으며, 설비용량으로는 가장 높은 비중을 차지하는 영국이 2위를 차지했으며, 1.8GW를 새로 설치하며 기록적인 행보를 보였다. 3위를 차지한 독일은 1.1GW를 새로 설치하였다.

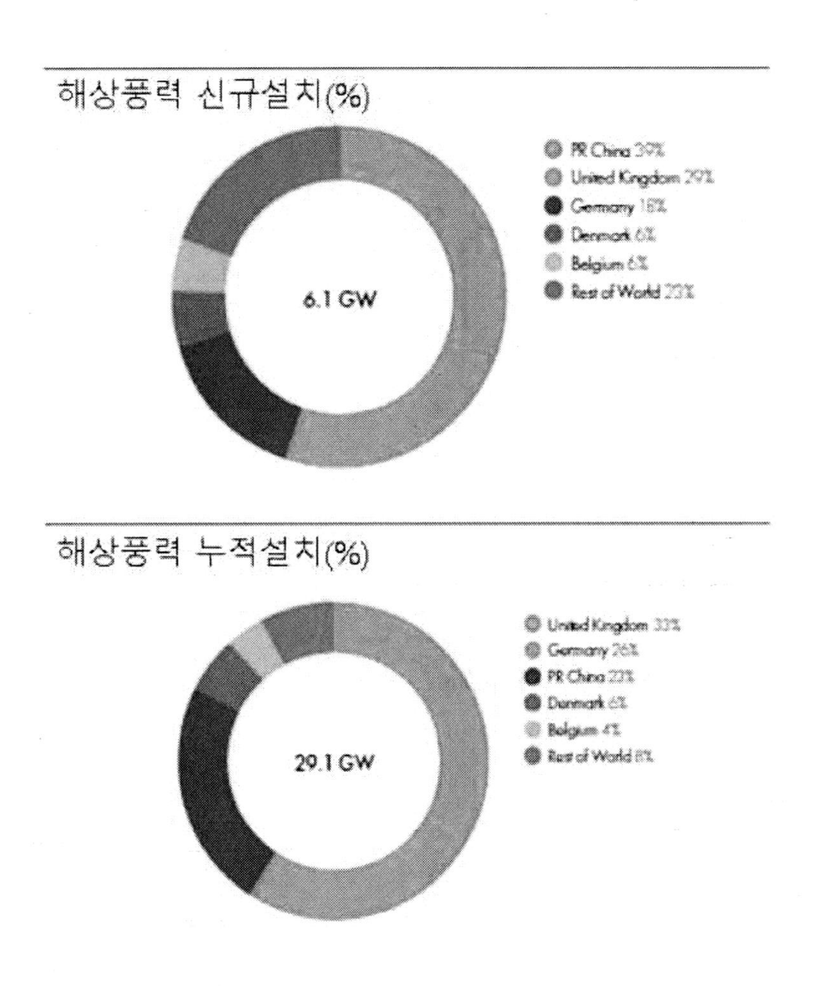

2020년 코로나19사태에도 불구하고 세계 해상풍력 시장이 승승장구하는 모습을 보였는데, 올해인 2021년에도 기록적인 성장세를 보일 것이란 전망이 나왔다. 리스타드 에너지는 2020년 해상풍력 발전설비 용량이 전년대비 15% 상승한 31.9기가와트(GW)를 기록했다고 밝혔는데 올해의 경우 2020년보다 무려 37% 가량 급증할 것이라고 예측했다. 특히 중국은 해상풍력 시장의 최대 기여국으로 거론되고 있다. 리스타드 에너지에 따르면 중국은 지난해 전체 발전설비 신규 추가 중 39%를 차지했고 올해는

비중이 63%로 늘어날 전망이다. 또한 세계적으로 2024년까지 48GW 이상, 2025년부터 2030년까지 157GW의 신규 해상풍력이 설치될 것으로 전망된다.

나. 국내 산업현황[17][18][19]

1) 국내 풍력발전 현황[20]

한국의 풍력 발전 산업은 1988년부터 1991년 사이에 전국 64개 기상관측소, 일부 도서 및 내륙 지역에서 관측된 풍력 관련 자료를 이용하여 풍력자원에 대한 특성을 분석하기 시작하고, 한국과학기술원이 20kW 소형 풍력발전기 개발 연구를 시작하면서 태동하였다. 그 후 1993년부터 한국에너지기술연구소에서 제주 월령에 신재생에너지 시범 단지를 조성, 풍력발전기 100kW 1기와 30kW 2기를 설치하여 계통 연계 운전하였으며, 한국화이바는 300kW 중형급 수직축 풍력발전기를 개발하였다. 2001년에는 한국화이바가 중대형급(750kW급) 풍력발전기의 블레이드 개발하였고, 유니슨과 효성은 750kW 급 풍력발전기를 개발 및 상용화하였다. 2004년부터는 2mW 급 중대형 풍력발전기 개발 및 실증연구 수행 중에 있지만, 한국의 풍력산업은 아직도 시장 형성기로 볼 수 있다. 2018년 기준 국내 풍력 발전설비는 1.42GW로 태양광 7.18GW의 20% 수준이며 이중 해상풍력은 40MW로 미미한 실정이다. '제7차 전력수급기본계획'과 '재생에너지 3020 이행계획'에 따르면 2030년까지 신재생에너지 설치용량은 56.5GW로 우리나라 총 발전용량 173.5GW의 약 34%에 달할 것으로 전망된다. 특히 이 중 해상풍력은 12GW로 신규 풍력발전시스템 설치용량 16.5GW의 73%를 차지할 것으로 계획되고 있다.

---

17) 한국에너지공단 신재생에너지센터 홈페이지
18) 해상풍력의 국내 경쟁력 현황 및 제고방향, 전기저널, 2020.11.13
19) 한국풍력산업협회 홈페이지
20) 국내 풍력 발전의 메카, 강원도 대관령 풍력발전단지, 한국전기안전공사 공식블로그,2016.03.03

국내 연도별 풍력발전 보급 현황

구분	2012	2013	2014	2015	2016	2017	2018
신규설치(MW)	73	92	61	208	187	114	161
누적용량(MW)	492	583	645	853	1,035	1,143	1,303
육상	-	-	-	-	-	1,105	1,230.5
해상	-	-	-	-	-	38	72.5

* 출처 : 2018년 신재생에너지 보급통계 잠정치 공표(2019.08, 한국에너지공단)

국내 연도별 풍력 발전량 현황

구분	2013	2014	2015	2016	2017	2018
발전량(GWh)	1,148	1,146	1,342	1,683	2,169	2,465
신재생內 비중(%)	5.4	4.3	3.6	4.1	4.7	4.7
전체발전량內비중(%)	0.2	0.2	0.2	0.3	0.4	0.4

* 출처 : 『신재생에너지 보급실적조사』 통계정보 보고서(2020.02, 한국에너지공단)

지역별 풍력발전 개발 현황을 살펴보면, 우리나라는 정부 주도 하에 풍력 발전 보급 사업으로 제주도, 전남 무안, 울릉도 등에 풍력발전단지가 조성되어있다.국내 최초의 상업용 풍력발전단지인 영덕 풍력발전단지와 대관령 강원 풍력발전단지는 TV에서도 많이 소개된 곳들이다.

국내 주요 풍력단지 현황

No	단지명	대수	단지용량 (MW)	설치위치	준공일자
1	강원	49	98,000	강원도 평창군	2006.09
2	영양	41	61,500	경상북도 영덕군	2008.12
3	GS영양	18	59,400	경상북도 영양군	2015.08
3	GS영양	18	59,400	경상북도 영양군	2015.08
4	울진현종산	15	53,400	경상북도 울진군	2019.03
5	영광(육상)	20	45,100	전라남도 영광군	2019.01
6	태기산	20	40,000	강원도 횡성군	2008.10
7	대명 영암	20	40,000	전라남도 영암군	2013.12
8	영광백수	20	40,000	전라남도 영광군	2015.05
9	영덕	24	39,600	경상북도 영덕군	2006.10
10	영광(해상)	15	34,500	전라남도 영광군	2019.01

• 출처 : 2018 Annual Report, 한국풍력산업협회(한국에너지공단 재구성)

지역별 누적 풍력발전 보급현황

(단위 : kW)

전국	강원	전남	경북	제주	인천
1,302,598	327,281	312,219	260,841	270,906	49,095
경남	**전북**	**경기**	**충남**	**울산**	**부산**
49,328	22,818	5,276	2,043	1,657	812
대전	**서울**	**대구**	**충북**	**광주**	**세종**
200	101	13	8	1	-

• 출처 : 2018년 한국에너지공단, 「신재생에너지보급실적조사」

평창군에 위치한 강원 풍력발전단지는 풍력발전이 생소하던 2001년 7월, 강원도와 유니슨주식회사, 독일 라마이어 3개사가 풍력발전단지 건설을 위한 공동 MOU를 체결하고 국내 최초로 풍력발전단지 개발에 착수한 후 4년여의 준비기간을 거쳐 2006년 준공하였다. 현재는 강원풍력발전(주)에서 총 1,588억 원의 사업비로 강원도 대관령 일대의 초지에 덴마크 Vestas사의 2MW급 풍력발전기 49기를 22km 구간에 설치하여 운영하고 있다. 각 풍력발전기의 용량은 2MW로 49기의 풍력발전기가 생산하는 전력량은 연 평균 22만 9,592MWh에 이르며, 이는 강릉시 전체 가구의 절반인 5만 가구가 사용할 수 있는 용량이다.

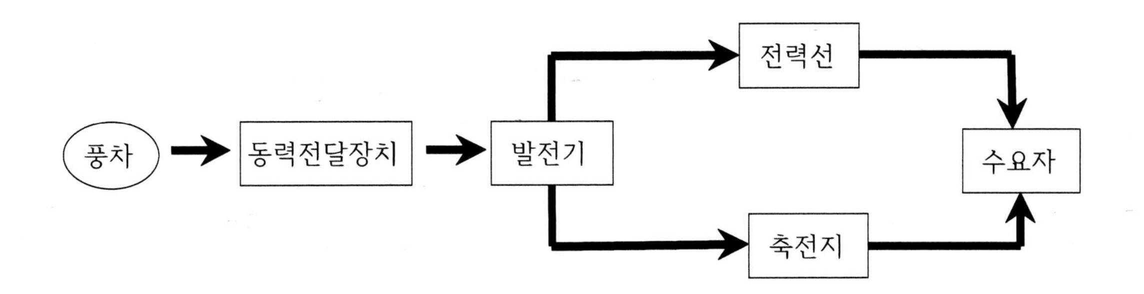

제주도 행원 지역의 풍력 발전 단지는 한국 최초의 상업용 풍력 발전 단지로 제주 전체 전력수요의 10%를 풍력 발전으로 대체하려는 제주도 풍력발전 실용화 사업(국가보조 73억 원)의 일환으로 추진되는 사업이다. 제주 행원 풍력 발전 단지의 경우에는 평균 발전 원가가 kW시 당 90원 수준으로 제주도 내 한전 화력발전소의 평균 발전 원가인 kW시 당 130원에 비해 저렴하여 충분한 경쟁력을 갖고 있는 것으로 판단되고 있다. 특히 제주도는 '탄소 없는 섬 제주(Carbon Free Island Jeju by 2030)' 실현을 위해 도내 전력수요 전체를 풍력 중심의 신재생에너지로 대체하는 '공공주도의 풍력개발 투자활성화 계획'을 발표했다. 이 계획에 의하면 2030년에 제주도 내 전력수요의 58%가 풍력발전으로 생산되는 등 모든 전력 에너지 생산이 신재생에너지로 대체된다. 목표는 2030년까지 풍력발전으로 전력을 총 235만 kW(육상 45만㎾·해상 190만㎾) 생산, 전력사용량 전망치 113억 kW시의 58%인 66억 kW시를 대체하고 나머지 전력수요는 태양광, 연료전지, 지열발전, 해양·바이오 등으로 생산하는 등 도내 전력수요 전체를 신재생에너지로 대체하는 것이다. 육상풍력은 현재 299mW가 운영·추진 중이며 목표 잔량 150mW는 대규모 개발을 제한하고 마을회, 향토기업, 제주에너지공사가 개발에 참여하도록 할 계획이다. 해상풍력은 현재 298mW가 추진 중이며 목표 잔량 1600 mW는 공기업·민간기업 등의 투자를 유치하고 제주에너지공사도 참여할 계획이다. 안정적인 운영을 위해 전력수요가 감소했을 때 풍력발전소 출력을 일정량 제한하는 풍력발전단지별 출력제어시스템을 구축하고 발전소에 배터리 이용 에너지 저장 시스템(BESS) 설치를 의무화해 접속한계용량에 다다르면 대용량전기저장장치(BESS)에 충전토록 할 계획이다.[21]

제주 행원 풍력 발전 프로젝트의 성공에 힘입어 다른 지방자치단체들도 풍력 발전 사업에 큰 관심을 갖고 있다. 예를 들면 제주도(한경), 강원도(대관령 지구, 태백), 전라북도(새만금), 경북(영덕), 인천(서해안 지역) 등이 정부주도 지원 사업 및 민간 자본 유치를 통한 풍력 발전 사업화를 추진 중에 있다.[22] 완도군을 비롯해 고흥군,

21) 참조 : 에너지경제 2015.09.02 <제주 전력수요 58% 풍력으로 생산>

영광군, 신안군, 여수시 등 전라남도 5개 지자체는 2008년 9월 포스코건설과 국내 최초로 해상풍력발전단지 조성(600mW 이상)을 위한 투자협약(MOU)을 체결한 바 있으며, 전북 부안군의 남동쪽 해상에 대규모 해상풍력발전 개발사업이 추진 중이다. 총 3단계에 걸쳐 추진될 이 사업은 1단계 사업이 마무리 되면 400mW 규모의 2단계 이어서 3단계 사업이 2,000mW 규모로 추진될 예정이다. 지난 2011년에 발표된 '서남해 해상풍력 종합추진계획'에 따르면 당초 1단계 사업을 2014년까지 마무리할 계획이었다. 하지만 특수목적법인(SPC) 설립이 지연되고 참여기업이 대폭 축소되면서 사업 추진이 제 속도를 못 내는 어려움을 겪었다. 2단계 사업이 성공적으로 마무리되면 이를 토대로 해외 시장에 도전하는 전략적 목표도 세워놓고 있다.[23]

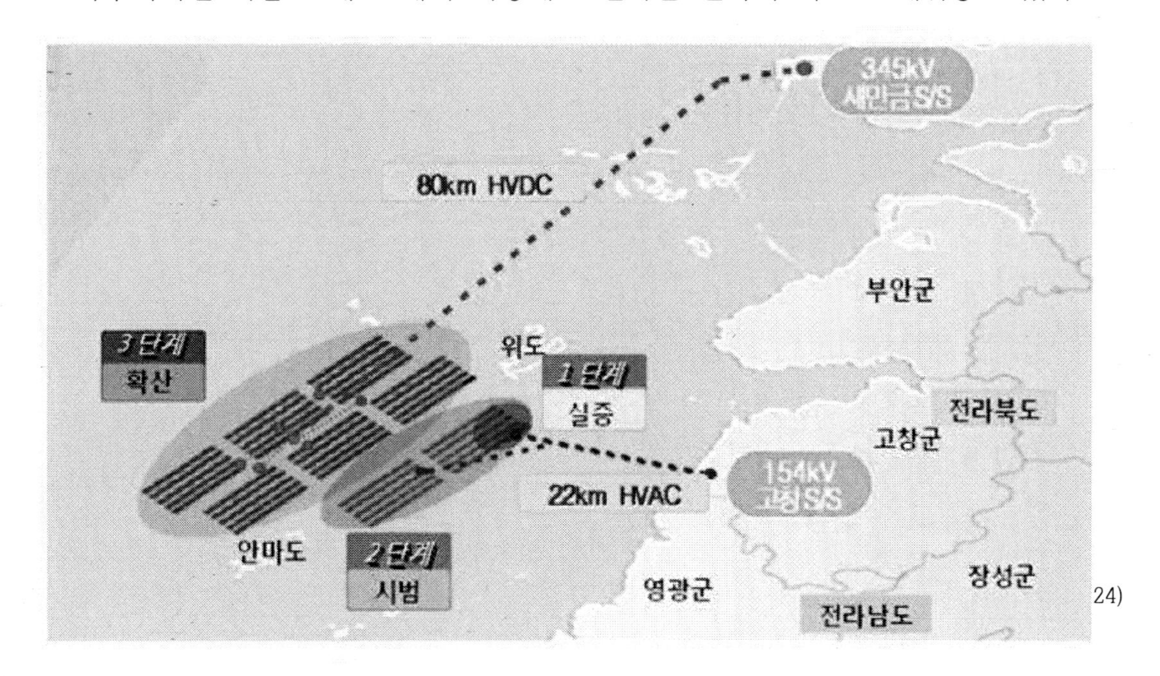

[24]

그림 26 서남해 해상풍력 사업 3단계

우리나라 육상풍력의 경우, 높은 토지이용률로 인하여 개발 가능 지역이 매우 제한적일 뿐 아니라 각종 환경규제로 인해 풍력사업 인허가 문제 해결이 쉽지 않은 상황이다. 현재 인허가 단계에서 계류 중인 신재생에너지 의무공급제도(RSP) 사업규모는 54개 사업, 1.8기가와트에 이른다. 국산 풍력터빈이 개발되어도 단지개발이 인허가 문제에 묶여 운용실적(track record)을 조기에 확보하지 못함에 따라 세계시장 진출은 계속 지연될 수밖에 없으며 이는 경쟁력 약화로 이어지고 있다. 이처럼 입지 제약으로 인해 물리적으로 보급 확대가 어려운 육상풍력과 달리, 삼면이 바다인 우

22) 참조 : 그린 비즈니스 저 : 소영일, 김성준
23) 참조 : 사이언스타임즈 2016.06.29 <해상풍력을 제2의 반도체로>
24) https://www.ebn.co.kr/news/view/821067참고.

리나라는 상대적으로 해상풍력에 유리하다. 특히 서남해안은 수심이 낮아 입지조건이 상대적으로 양호하다. 단, 해상풍력을 설치하기 위해서는 풍력 밀도가 높은 양질의 바람이 필수적이나 이러한 측면에서는 제주, 동남해안 등 일부를 제외하고는 우량입지가 부족한 실정이다. 뿐만 아니라 현재까지는 선진국에 비해 기술경쟁력이 상당히 뒤떨어져있다. 이로 인해 세계시장에서 차지하는 일부 단품을 제외하고는 비중도 높지 않다. 더욱이 국내시장 시장규모가 작고 설비 및 운용분야의 기술적 노하우가 축적되지 않아 상대적으로 설치비용이 높은 실정이다. 이처럼 높은 설치비용과 낮은 설비이용율은 결국 높은 발전단가로 이어질 수밖에 없으며, 이로 인해 태양광 등 타 재생에너지는 물론 육상풍력에 비해서도 공급비용이 매우 높아 보급의 장애요인이 되고 있다.

2) 국내 정책현황

이에 국내 풍력 발전 산업은 정책적 지원과 함께 풍력터빈 등의 제품가격 하락으로 꾸준히 성장을 꾀하고 있으며 2030년까지 재생에너지 발전비중을 20%를 목표로 하는 '재생에너지 3020 이행계획'과 2040년까지 재생에너지 발전비중을 30~35%로 정한 '제3차 에너지기본계획'을 바탕으로 향후에도 지속적으로 확대될 전망이다.

'재생에너지 3020 이행계획'의 구체적인 내용은 다음과 같다.[25]

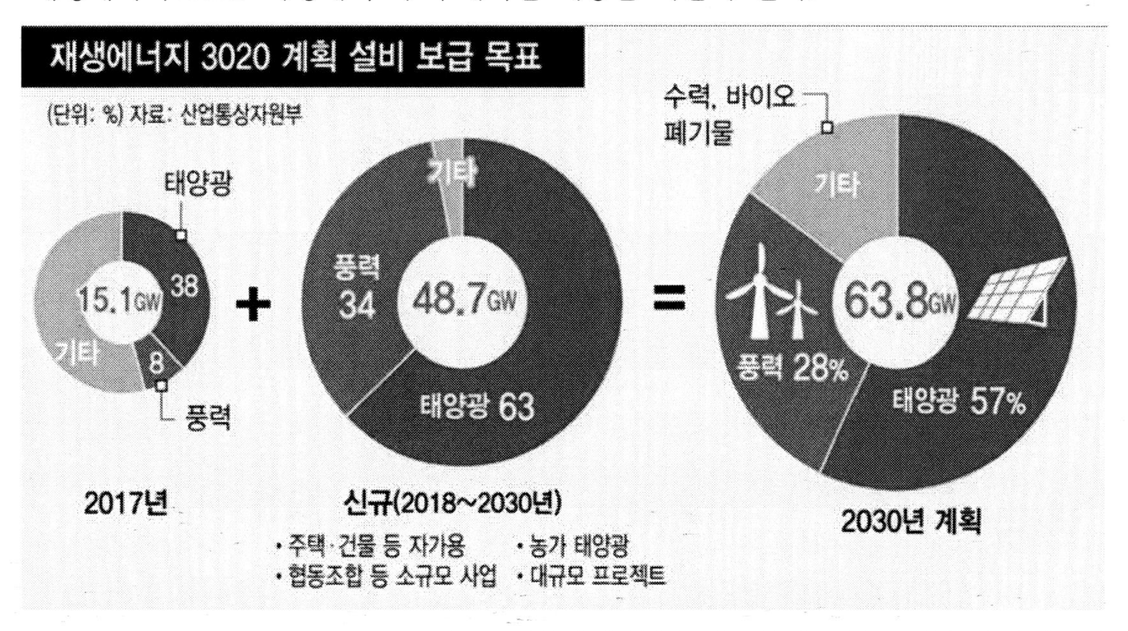

그림 27 재생에너지3020계획 설비 보급목표/산업통상자원부

25) 에너지정보소통센터 홈페이지

목표
·재생에너지 발전량 비중을 20%까지, 누적 설비용량을 64GW까지 보급 ·신규 설비용량의 95% 이상을 태양광·풍력 등 청정에너지로 공급

이를 위한 실행방안으로 '재생에너지 산업경쟁력 강화', 산학연 및 인프라 집적을 통한 '재생에너지 혁신클러스터' 조성에 힘쓰고 있으며, 풍력산업에 있어서는 다음과 같은 계획을 추진중이다.

재생에너지 산업경쟁력 강화

- 단·중기 R&D 로드맵 → 실증 → 제도개선 등 확산 → 수출산업화
- R&D 로드맵 수립 : (단기) 단가저감·기술추격 → (중장기) 차세대 기술 선점

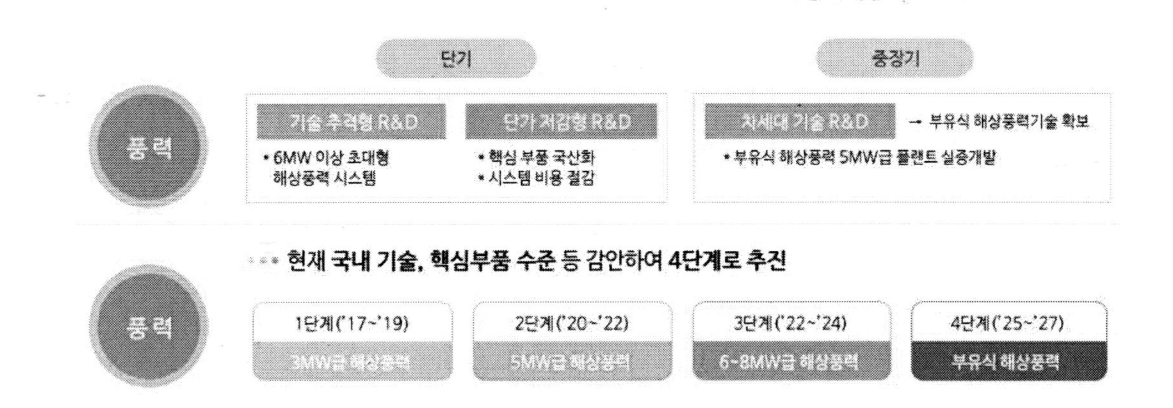

재생에너지 혁신성장 클러스터 조성 : 産·學·硏 및 인프라(항만·산단 등) 집적

또한 정부는 최근 '재생에너지발전 경쟁력 강화방안'과 신재생에너지 기술개발 및 보급실행계획을 통해 태양광, 풍력 등 신재생에너지 산업의 경쟁력 확보를 위해 의욕적인 목표를 설정해 발표한바 있다. 계획에 따르면 향후 3년간 6조 3,000억 원을 투자해 해상풍력 19개 단지 640MW를 포함한 풍력설비를 설치하고 최대 8MW급 부유식 해상풍력시스템을 개발한다. 특히 풍력타워부문 세계점유율 1위를 목표로 하는 등 산업경쟁력을 획기적으로 높일 예정이다. 아울러 현재 5.5MW 수준에서 2030년에는 12MW급 이상의 초대형 해상풍력터빈을 개발하고 부품 패키지 국산화 기 술

과 스마트 O&M 기술을 개발하며 운영비용을 30% 절감하고자 한다. 풍력부품 중 초대형 블레이드(길이 100m 8MW급), 카본 복합재 부품, 증속기, 발전기, 전력변환기 및 제어시스템 국산화 개발을 목표로 하고 있다. 단기적으로는 2022년까지 4대 핵심부품(블레이드, 발전기, 증속기 등) 국산화 및 풍력서비스(단지시공 O&M 등) 핵심기술 조기 개발을 목표로 정했다.

3) 국내 풍력발전 전망

우리나라 해상풍력의 균등화단가는 불리한 입지와 기술격차로 인해 영국, 독일, 덴마크 등 선진국에 비해 상당히 높은 수준이다. 이는 잠재량에 해당하는 풍력 자원의 상대적 저하에 따른 입지조건의 차이는 물론 구조물 등의 비표준화에 따른 설치비용 상승, 환경문제와 다양한 규제에 따른 인허가과정의 장기화로 인한 비용, 단기의 설계 유지보수, 계통연계 등 운영 및 계통비용 등에 기인하는 것으로 보인다. 또한 최근 들어 태양광 보급 확대 등으로 인한 재생에너지발전의 일시적 공급과잉에 따른 REC 거래시장의 수급불균형, 사업구조 등에 따른 상대적으로 높은 기대수익율도 영향을 미치는 것으로 보인다. 정부가 의욕적인 해상풍력 확대계획을 추진 중이고 부유식 풍력 등 새로운 기술적 접근이 이루어지고 있으나, 아직도 해상풍력의 사업성은 상당히 낮으며 이를 해소하기 위해 보다 높은 보조금의 제공을 필요로 하고 있다. 이러한 방식은 일부 프로 젝트의 사업성을 높여서 단기적인 보급 확대에는 기여할 수 있을지 모르나 장기적으로 지속 가능하기는 어려울 것이다.

취약한 국내 해상풍력 경쟁력을 극복하기 위해서는 무엇보다도 먼저 가격경쟁력 즉, 공급비용의 하락이 수반되지 않으면 안 된다. 우리나라 신재생에너지의 공급비용은 앞으로 지속적으로 감소할 것으로 보인다. 다만, 해상풍력은 태양광에서와 같은 시장확대로 인한 규모의 경제 효과가 낮고 설치비의 비중이 높아서 공급비용의 하락이 상대적으로 낮을 것으로 보인다. 그럼에도 불구하고 시스템의 대형화, 입지설계의 최적화, 공정 및 운전관리 표준화를 통해 지속적인 비용감소가 이루어질 것으로 보인다. 아울러 국내시장에서의 수급정상화, 인허가 등 관련 비용의 축소, 사업경험 부족으로 인한 프로젝트 리스크가 줄어들 경우 초기단계에서 비정상적으로 높아져있는 요인들이 제거되면서 추가적인 가격하락 요인도 발생할 것으로 보인다. 아울러 기술 경쟁력을 극복하기 위해서도 우리가 경쟁력을 갖고 있는 조선·해양플랜트 ICT 등 연관 산업을 접목하고 안정적 내수 시장 창출이 필요하며 이렇게 된다면 핵심기술의 확보를 앞당겨서 선진국과의 기술경쟁력 격차도 크게 줄어들 것으로 기대된다.

다. 국가별 산업 현황

1) 중국[26)27)28)]

전 세계적으로 기후 문제가 심각해지고 이산화탄소 배출로 인한 온실효과가 부각되면서 이를 해결하기 위해 각국 정부는 신재생 에너지 산업 발전에 주력하고 있다. 이에 중국도 에너지 생산 및 소비 대국으로서 환경보호 및 온실효과 경감 등을 위해 신재생 에너지의 활용을 장려하고 지원 정책을 발표해 산업의 발전을 유도하고 있는 상황이다. 에너지 자원이 풍부하고 널리 분포되어 있는 중국은, 특히 태양, 풍력 에너지를 가장 대표적인 신재생 에너지원으로 개발·활용중이며, 이 중 풍력발전은 신규 발전설비, 누적 발전설비를 막론하고 이미 전 세계에서 가장 규모가 큰 풍력발전 시장을 이루고 있다. 중국 풍력에너지 업계의 통계에 따르면 2020년 상반기 풍력발전에 증설된 설비용량은 632만KW에 달하고, 그 중 육상풍력발전에 526만KW, 해상풍력발전 설비용량은 106만KW가 증설되었다. 6월말 기준으로 전국 풍력에너지의 누적된 설비용량은 2.17억KW이고, 이 중 육상풍력발전이 2.1억KW, 해상풍력발전은 699만KW로 집계되었다. 상반기 발전량이 전년동기대비 10.9% 증가한 2349억KW로 나타났다.

중국의 풍력 자원은 주로 삼북(동북, 화북, 서북) 지역과 연안 지대에 분포하고, 전력 사용 지역은 주로 남부과 중부 지역에 있다. 즉, 중국은 전기 사용 지역과 발전 지역 위치에 차이가 있으며 점차적으로 남부 지역에 풍력발전소를 건설하고 있는 추세이다. 중국의 풍력에너지는 풍력 자원 상황과 공사여건 등의 입지조건에 따라 다음 4개 유형으로 나눌 수 있다. (I~IV유형)

26) 「GWEC 2019 풍력발전 보고서」 요약본, 한국에너지정보문화재단, 2020
27) 중국 신재생 에너지 시장 성장세 지속,kotra해외시장뉴스, 2019.04.26
28) 중국 해상풍력의 발전과 미래, CSF중국전문가포럼, 2020.09.28

I유형	연해와 그 섬 지역의 풍력에너지 풍부 지대 : 연해와 그 섬 지역은 산둥, 장쑤, 상하이, 저장, 푸젠, 광둥, 광시, 하이난 등 성(市) 연해에서 10km에 이르는 지대로 연간 풍력 밀도는 200W/㎡ 이상이며 풍력 밀도선은 해안선에 평행함.
II유형	북부지역의 풍력에너지 풍부 지대 : 북부지역의 풍력벨트는 동북 3성, 허베이, 네이멍구, 간쑤, 닝샤, 신장 등 성(자치구)의 거의 200km에 이르는 지대로 풍력 밀도는 200-300W/㎡ 이상이며, 500W/㎡ 이상인 곳도 있음.
III유형	내륙 풍력에너지 풍부 지대 : 풍력 밀도는 일반적으로 100W/㎡ 이하이지만 일부 지역에서는 호수와 특수 지형의 영향으로 풍력 자원도 비교적 풍부함.
IV유형	근해 풍력에너지 풍부 지대 : 동부 해안 수심 5~20m로 면적은 넓지만 항로, 항구, 양식 등 해양기능구역의 제한을 받아, 풍력에너지 개발이 육로보다 훨씬 적음. 장쑤, 푸젠, 산둥, 광둥 등지에서는 근해의 풍력에너지 자원이 풍부하고 전기 부하 관리 센터와 가깝기 때문에, 근해의 풍력발전은 이곳 지역에서 앞으로 발전할 수 있는 중요한 청정에너지로 꼽힘.

표 8 중국 풍력자원 구역 4개 유형/前瞻产业研究院,kotra

특히 중국은 세계 해상풍력의 발전에 앞장서고 있다. 실제로 중국은 2018년 해상풍력발전 분야의 세계1위를 점하고 있는 영국보다도 많은 해상풍력발전기를 설치하면서 현재는 세계 해상풍력 시장을 선도하고 있다. 또한 2020년까지 해상풍력 5GW를 계통 연결시키겠다는 목표는 2019년에 조기 달성하였고 같은 해 해상풍력 2.4GW가 새로 설치되었다. 현재 중국은 해상풍력의 총 설비용량이 6.8GW에 달하며 이는 세계 3위 수준이다. 중국의 해안지대는 18,000km로 1,000GW 이상의 해상풍력 잠재성을 가지고 있다. 현재 广东省에서는 2030년까지 30GW의 해상풍력을 설치하고자 하며, 江苏省에서는 15GW, 浙江省 6.5GW, 福建省 5GW 순으로 각 지방정부마다 해상풍력에 대한 야심찬 목표를 내걸고 있다.

이와 같은 중국 해상풍력의 비약적인 성장은 중국정부의 전폭적인 정책적 지지가 없었다면 불가능 한 것이다. 2016년 《풍력발전 13·5계획(风电发展"十三五"规划)》을 통해 2020년 해상풍력 발전목표를 확정하였고, 목표가 확정되자 해당 업계가 분주하게 움직였으며, 풍력발전과 관련한 건설프로젝트의 목표치인 1000만KW 중 이미 500만KW 이상이 누적되었다. 같은 해 중국 국가에너지국과 국가해양국에서 공동 발표한 《해상풍력개발건설관리방법(海上风电开发建设管理办法)》에서는 해상풍력 발전 프로젝

트의 관리제도를 수정·보완하였다. 2017년《전국해양경제발전 "13·5"계획(全国海洋经济发展"十三五"规划)》은 해상풍력 설비의 대용량화, 효율성 제고 방안에 대한 연구를 제기하면서 토지제도와 연계된 합리적인 해상풍력산업을 위해 관련 정책을 조정하기 시작하였다. 또한 广东省, 山东省, 大连市 등 각 지역마다 "13·5"계획을 통해 해상풍력발전과 관련한 계획을 지역 핵심정책에 포함시키면서 2018년 중국의 국가에너지국은《2018년 에너지 업무의 지도의견(2018年能源工作指导意见)》통해 해상풍력발전을 적극적이고 안정적으로 추진할 수 있도록 기반시설을 건설하고 관련 산업에 발전을 위한 정책추진을 제안하였다.

또한 정책적 지원뿐만 아니라, 중국 정부는 신재생에너지와 관련한 경제적 지원을 아끼지 않음으로써 해상풍력산업의 비약적 성장을 견인하였다. 중국은 2014년 국가발전개혁위원회를 통해 해상풍력 FIT(Feed-In Tariff) 정책을 발표하고, 해상풍력에 대한 경제적 지원에 나섰다. FIT제도은 해상풍력의 계획 목표를 달성하기 위한 가격 지원제도로서 해상풍력 개발자는 벤치마킹 가격을 기준으로 투자수익을 예측하여 투자결정을 할 수 있다. 비용은 해상풍력 개발자에게 직접적으로 이익을 가져다 주기 때문에 비용 절감은 투자의욕을 증대시키는 결정적 요소이다. 정부의 경제적 지원으로 개발자는 개발비용이 절감되고 이와 동시에 대규모 개발 경험을 축적하게 되면서 궁극적으로는 해상풍력발전 비용이 급감하게 되는 것이다. 이러한 측면에서 초기 설비투자 비용이 많이 드는 해상풍력발전의 경우, 정부의 적극적 지원은 곧 개발자로 하여금 투자의욕을 자극하게 된다. 그러나 최근 중국 시장은 FIT제도에서 경매제도로 전환중이다. 2019년 5월 중국 국가발전개혁위원회(NDRC)는 중국 해상풍력발전 관련 계획을 담은 정책을 발표했다. 이 계획에 의하면 2018년 말 이전에 허가된 해상풍력 프로젝트는 2021년 이전에 완전히 전력 계통에 연결된다면 FIT가격을 0.85 유안/kWh로 설정 할 수 있다. 2019년과 2020년에 허가된 프로젝트는 경쟁적 경매에 참여해야 한다. 2020년 1월 중국 중앙 정부는 2022년 이후부터 해상풍력에 대한 보조금 지원을 중단하도록 했다. 이는 곧 짧은 기간 만에 중국의 풍력산업이 정부지원에 의존하지 않아도 될 만큼 궤도 올랐다는 것을 의미한다. 그러나 지방 정부에서 해상풍력 개발을 지속하는 것과 관련된 보조금 지원은 장려되고 있다. 정책적 변화가 발생함에 따라 총 40GW의 해상풍력 프로젝트들이 2019년 이전에 중앙 및 지방 정부의 허가를 받았다. 2019년 말 기준, 건설 중인 해상풍력은 10GW 이상이었으며, 허가를 받고 건설 준비가 된 프로젝트가 30GW였다. 현재는 개발자들과 투자자들은 FIT가격 0.85 위안/kWh의 혜택을 보기 위해 프로젝트를 2021년 말 전까지 마치고자 분주하게 움직이고 있다. 하지만 이런 야심찬 희망은 무산될 가능성이 높다. 지역의 해상풍

력 공급망이 아직 완성되지 않았기 때문이다. 풍력발전의 날개, 베어링, 케이블, 터빈 설치용 배가 2022년 전까지 해상풍력이 전력 계통에 연결되는 데 병목으로 작용하고 있다. 이러한 문제점을 고려할 때 GWEC Market Intelligence는 단 7.5GW의 해상풍력만이 2020~2021년에 연결될 것으로 보고 있다. 그럼에도 불구하고 중국은 여전히 영국을 제치고 누적 용량 기준으로 세계 해상풍력 시장에서 가장 큰 비중을 차지할 것이다.

중국은 매년 풍력에너지 산업에 2250억 위안 이상을 투자하고 있으며, 매년 평균 약 2500만kW의 풍력 발전설비를 추가할 것으로 예상되어, 앞으로 2030년 중국 풍력에너지 설비용량은 5억 kW에 이를 것으로 보인다. 또한 풍력에너지 산업 관련 업계 종사자도 2030년에는 40만 명으로 증가할 것으로 예상되어 세계 풍력시장 속 중국의 입지는 더욱 강화될 것으로 전망한다.

2) 미국[29][30][31]

코로나19로 인해 2020년 미국의 에너지 소비량이 크게 감소하였음에도 불구하고 풍력발전량은 순증가하여 성장세를 기록하였다. 미국 정부는 신재생에너지 발전 의무할당제(RPS), 신재생에너지 발전 연방 세금 공제 혜택(PTC) 등을 통해 풍력발전의 가격경쟁력을 높여 산업 성장을 지원하였다. 그 결과 2020년 미국 풍력발전 시장은 전년대비 9.2% 성장한 154억 달러 규모를 기록하였고, 약 21GW 규모의 풍력발전이 미국에서 새로 설치됐다. 올해도 재생에너지가 미국의 발전시장을 주도할 것으로 전망됐다.

29) 태양광·풍력 등 재생에너지, 코로나에도 올해 미국 발전시장 주도, 에너지경제신문, 2021.01.14
30) 순풍을 탄 미국 풍력발전 시장, kotra해외시장뉴스,2020.11.16
31) '바이든 시대' 美 해상풍력 기대감 ↑…"韓 기업 기회", THE GURU, 2020.11.21

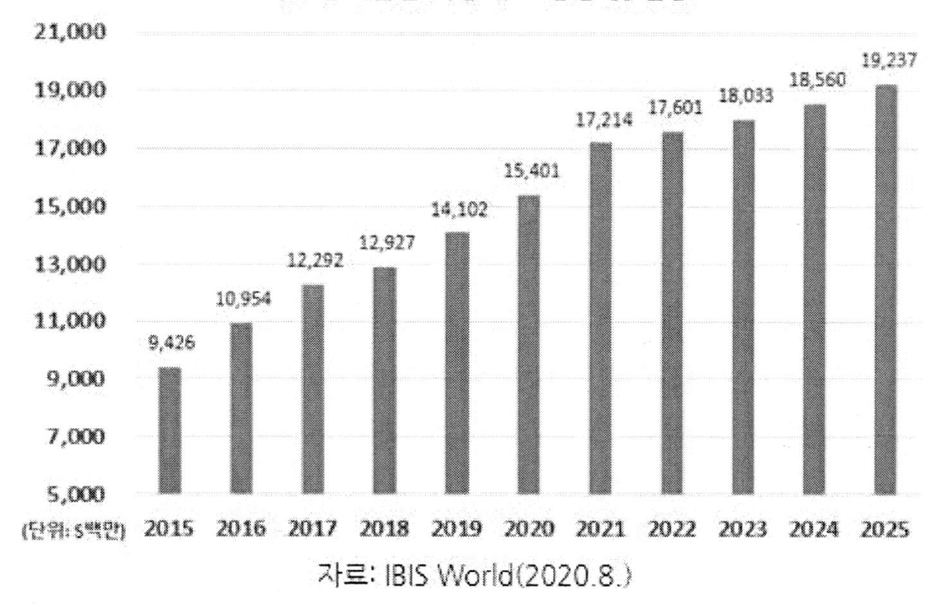

미 에너지정보청(EIA)에 따르면 올해 미국에서 새로 추가되는 발전설비 용량 중 66% 이상이 태양광, 풍력 등 재생에너지로 이뤄질 것으로 예측됐다. EIA는 총 39.7 기가와트(GW) 규모의 발전설비 용량이 새로 설치될 것으로 예상했는데 이 중 태양광과 풍력발전이 각각 39%, 31% 차지한다는 것이다.

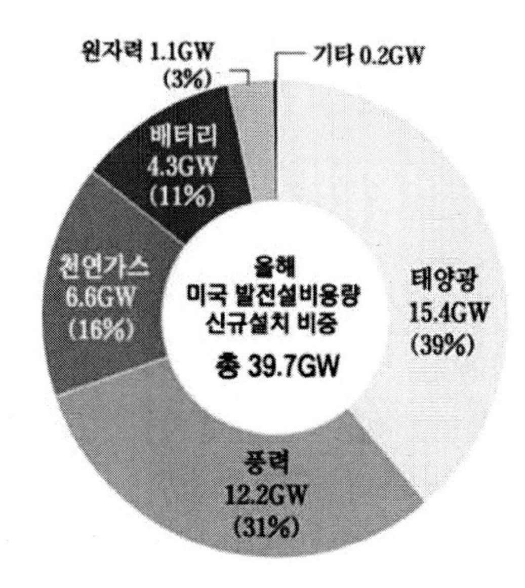

그림 30 에너지경제신문

현재 미국의 총 풍력발전 용량은 2015년 73891MW에 비해 51% 증가한 111808 MW이며, 6만 개 이상의 풍력터빈이 가동 중이고 또한 풍력터빈의 용량은 증가하고 있는 추세이다. 주별 누적 설비량에 있어서는 텍사스가 30904 MW로 큰 차이를 보이며 1위이다. 텍사스의 넓은 영토와 풍부한 자원을 바탕으로 미국 풍력발전량의 25% 이상을 차지하고 있다. 특히 텍사스 주정부는 2008년 풍력 발전용량을 주요 도시로 보내는 일련의 전송 확장 프로젝트를 진행하여 풍력발전 부문의 성장을 이끌었다. 2020년 3분기 기준, 주별 신규 설치 또한 텍사스가 687 MW로 선두를 이끌었으며, 그 뒤로 콜로라도 496 MW, 일리노이 200 MW, 아이오와 168 MW, 인디애나 147 MW의 순이었다. 여기에 2020년 9월 말 기준, 미국 내 총 43575 MW 규모의 프로젝트가 건설 중(24355 MW)이거나 개발 후기 단계(19220MW)에 있어, 계속해서 풍력발전에 대한 투자와 관심이 증가하는 것을 확인할 수 있다.

주별 누적 풍력발전 용량

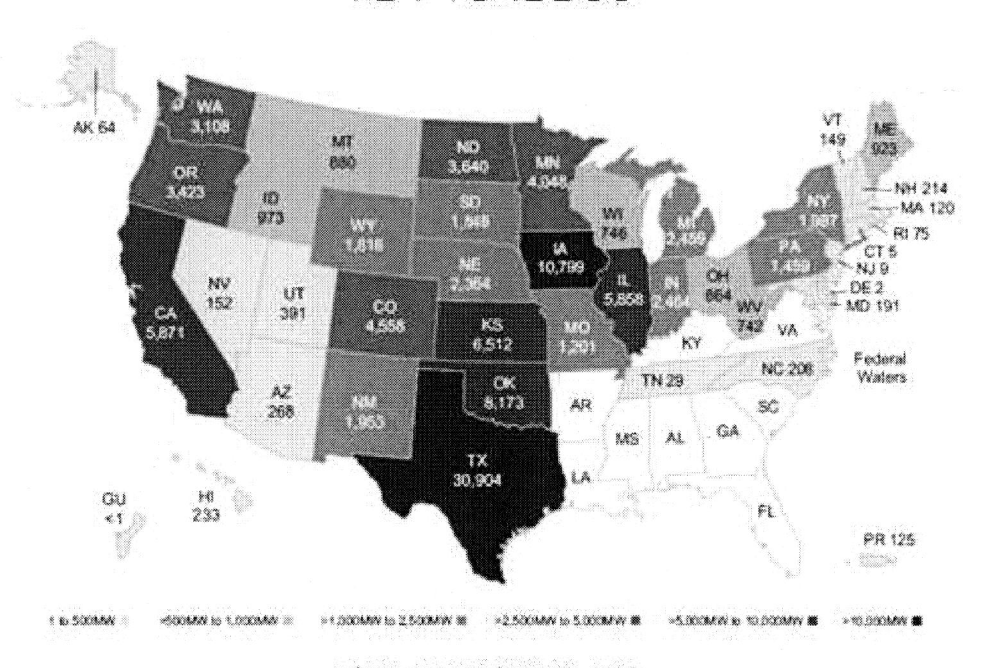

자료: AWEA(2020. 10.)

특히 2020 미국 대통령 선거가 민주당 조 바이든의 승리로 끝나면서, 앞으로 미국 풍력발전 시장이 빠르게 성장할 것이란 기대감이 크며, 잠재력이 높은 해상풍력의 성장이 더욱 기대된다. 바이든은 청정에너지 및 기후변화 대응 인프라에 향후 4년간 2

조 달러(약 2200조원)를 투자할 계획으로, 이에 미국 풍력에너지 시장은 큰 폭으로 성장하며 날개를 달 것으로 보인다.

미국의 해상풍력발전은 유럽에 비해 부진한 상황이었다. 해상에 건설하는 비용이 육상에 비해 더 높은 데다, 환경문제와 지역 주민의 반발에 거세게 부딪쳤기 때문이다. 미국 해상풍력 시장은 2016년 12월 30MW 규모의 Block Island 프로젝트가 운영되면서부터 탄력이 붙기 시작했다. 해상풍력 관련 복잡한 규제에도 불구하고 대규모 프로젝트는 발전해오고 있다. 미국 국립재생에너지연구소(NREL)에 의하면 미국 해상풍력의 기술적 자원 잠재성은 2,000GW로 현재 미국 전체의 전력 이용량의 2배이다. 개발자들은 15개의 해상풍력발전 프로젝트를 예상하고 있으며, 총 10,603MW 가량이 2026년까지 완공될 것으로 보고 있다. 또한 각 주와 글로벌 기업들도 해상 풍력발전에 대한 투자를 늘리고 있다. 2020년 7월, 뉴욕주는 최대 2500MW 규모 해상 풍력발전 프로젝트를 위한 입찰권유(Solicitation)를 발표한바 있으며, 9월에는 뉴저지가 최대 2400MW 규모 해상 풍력발전 프로젝트 입찰권유를 발표하기도 하였다. 또한 글로벌 석유기업 브리티시페트롤리엄(BP)은 지난 2020년 9월 미국 해상 풍력발전에 11억 달러(약 1조2000억원)를 투자하겠다는 계획을 발표했다. 노르웨이 국영 에너지 기업 에퀴노르가 미국 동부 인근 해상에서 추진하는 엠파이어와 비컨 해상 풍력발전 프로젝트의 지분 50%를 매입할 예정이다. 뿐만아니라 해상 풍력발전 시장 진출을 위해 기업간 협업도 활발히 이뤄지고 있다. 에너지 기업인 EDPR과 엔지는 지난 7월 미국, 유럽, 아시아 시장을 겨냥해 해상 풍력발전 합작회사인 오션윈즈를 설립하기로 했다. 일본 미쓰비시는 자회사 다이아몬드 오프쇼어 윈드를 통해 RWE 리뉴어블, 메인대와 함께 대학의 부유식 해상 풍력 실증 프로젝트를 개발하고 있다.

이처럼 미국은 동부 해안가를 중심으로 해상풍력에 대한 움직임이 활발해지고 있지만, 야심찬 목표를 달성하기 위해서는 선박·항구 관련 인프라 그리고 노동력 등 공급과정에 대한 투자가 필요하다. 주 단위에서 개별적으로 세금 관련 혜택이나 연구 보조금 등을 지원하여 투자를 유치하고 있는데 중요한 것은 각 주 정부들이 협력하여 효율적인 공급 과정을 구축하는 것이다. 계통 인프라에 대한 투자도 중요하다. 한 연구에 의하면 600~1,200마일에 달하는 계통이 뉴잉글랜드주와 뉴욕주에 새로 구축되어야 하는데 이렇게 막대한 투자는 한 개 주에서 감당할 수 없다. 그러므로 여러 이해관계자 그룹의 협력이 필요하다. 미국 상원은 2019년 12월 생산세액공제(PTC, Production Tax Credit)를 1년 연장하였다. 2020년에 건설이 시작되어 2024년에 운영이 시작되는 프로젝트에 대해 1.5센트/kWh 생산세액공제(기존 생산세금공제의

60%) 혹은 18%의 투자세액공제(ITC, Investment Tax Credit)가 생산세액공제를 대신하는 것이 가능하다.

3) 덴마크[32)]

EU집행위는 2020년 11월 EU해양재생에너지전략을 통해 2050년까지 해상풍력발전 용량 300GW 달성(현 12GW), 인프라 구축·기술개발을 위한 민관투자 촉진, 지역 간 협력이 용이하도록 제도·법적프레임워크 개선계획을 발표했다. 또한 EU집행위는 발트해의 해상풍력발전 개발 가능성에 주목하고 2020년 기준 2.2GW에 불과한 발트해 지역 해상풍력 발전용량을 2050년 93GW까지 확대할 계획이다. 이에 2020년 9월, 덴마크·에스토니아·핀란드·라트비아·리투아니아·독일·스웨덴·폴란드 8개국은 발트해상 풍력개발합동선언에 서명하고 해양공학기술 및 투자협력을 약속한 바 있다. 덴마크는 현재 풍력발전 산업에서 가장 경쟁력을 갖추고 있는 유럽국가 중 하나이다. 덴마크는 1970년대 오일쇼크 이후 '화석에너지에 더 이상 국가의 운명을 맡겨서는 안된다'는 판단에 따라 1979년 첫 풍력발전기를 개발한 뒤로 현재 5,500여 기를 운영하고 있다. 발전용량만 해도 3,100메가와트(MW)로 덴마크 전체 소비 전력의 20%를 차지하고 있다. 덴마크는 풍력발전 용량뿐만 아니라 세계 최대 풍력터빈 제조업체인 베스타스 사, 세계 1위의 풍력발전기 날개 제조업체인 LM 글래스화이버(LM Glassfiber)사도 보유하고 있다. 2007년 풍력터빈 세계시장의 규모는 1만1,407mW로 집계됐는데 덴마크의 베스타스가 27.9%로 선두를 차지하고 있다. 2006년 기준으로 풍력 발전 산업과 관련된 기업 315개가 활동 중이며, 이들 기업들의 총 매출액은 약 97억 달러에 이른다.[33)] 덴마크의 대표적인 풍력단지로는 덴마크 서부의 Rejsby Hede 풍력단지와 Tuno 해양 풍력단지(Tuno off-shore Windfarm)를 들 수 있다. Rejsby Hede 풍력 발전 단지는 Negmicon 사의 600kW 풍력 발전기 40기가 설치되어 총 발전 용량은 24mW에 이르고 있다. 여기서는 연간 약 60기가와트시(GWh)의 전력을 생산하는데, 이는 약 16,000가구에 충분한 전력을 공급할 수 있는 양이다. 이로 인해 연간 약 45,000톤의 이산화탄소와 150톤의 이산화황 배출 감축 효과를 갖는 것으로 분석되고 있다. Tuno 해양 풍력단지는 덴마크 Justland 동쪽 6km 근해의 수심 약 3~6미터 내외의 해상 위에 설치되었다. 여기에는 베스타스 사의 500kW 풍력 발전시스템 10대가 2열로 배치되어 있다. 최근 2021년 2월 덴마크는 벨기에와 2030년까지 600km 해저 전력망을 구축사업을 위한 양해각서를

32) EU·벨기에 해상풍력발전 동향 및 산업 구조, kotra해외시장뉴스, 2021.03.04
33) 참조 : 소영일, 김성준 <그린 비즈니스>

체결했다.

4) 주목해야할 시장[34]

가) 콜롬비아

콜롬비아는 풍부한 풍력 자원에도 불구하고, 지난 10년 동안 시장 진입장벽과 재생에너지 기술에 대한 투자 부족으로 시장 성장이 늦어졌다. 그러나 국가 전력 시스템에 가격경쟁력을 갖춘 풍력발전을 추가하라는 압력이 가해져 GWEC와 산업계의 도움으로 지난 2년 동안 정책적으로 큰 변화가 일었다. 2015~2016년 엘니뇨현상으로 발생한 심각한 가뭄으로 콜롬비아가 기후 변화에 취약하다는 것이 알려졌다. 이러한 요인으로 국가 에너지 정책에 수력 위주의 에너지 시스템을 보완할 수 있도록 에너지원을 다양화하려는 내용이 담겼다. 콜롬비아는 2022년까지 재생에너지 용량을 1.5GW로 확대한다는 것을 목표로 국가개발계획을 수립했다. 전 세계적으로 전력계통 용량 부족이 재생 에너지 보급에 방해물로 작용하고 있다. 콜롬비아 풍력발전 성장 초기에 송전 인프라와 관련된 종합적이고 장기적인 계획이 도입된다면 효율적으로 재생에너지를 통합할 수 있을 것이다. 강력한 풍력 자원, 정치적 안정성, 에너지전환에 대한 의지 등이 있어 콜롬비아는 라틴아메리카에서 강력한 풍력 시장으로 거듭날 것으로 보인다. 이미 콜롬비아는 2030년까지 지역의 재생에너지 비중을 70%로 달성하려는 '라틴아메리카 및 카리브해 지역 재생에너지 계획'(RELAC)에서 선도적인 역할을 하고 있다.

나) 케냐

케냐의 경제는 동 아프리카에서 가장 큰 규모를 자랑한다. 재생에너지 부문도 마찬가지로 국가의 개발과 산업화 전력에서 큰 기둥 역할을 하고 있다. 케냐는 현재 풍력 설비용량이 350MW에 달하며, 2024년까지 350MW가 추가될 것으로 예상된다. 케냐는 아프리카 대륙에서 태양광 자원 보다 풍력 자원의 가치가 더 높은 나라 중 하나로 동 아프리카 지역에서 풍력 산업의 리더 역할을 할 것으로 보인다. 지정학적 안정성, 전력 보급률 75%, GDP 성장률 6%, 금융기관의 적극적 진출, 풍부한 민간 자본 등이 케냐의 풍력 시장의 기반을 뒷받침하고 있다. 이러한 요인들이 축적되어 아프리카에서 가장 큰 풍력발전단지인 312MW의 Lake Tukana 프로젝트가 2019년 성공적으로 전력계통에 연결될 수 있었다. 국가의 야심찬 청정에너지 목표도 풍력발전 산업의 성

---

34) 「GWEC 2019 풍력발전 보고서」 요약본, 한국에너지정보문화재단, 2020

장을 촉진시키고 있다. 케냐 정부는 2020년까지 발전 분야에서 지열, 풍력, 태양광 중심으로 100% 재생에너지 믹스를 목표로 하고 있으며 2030년까지 재생에너지 용량을 23GW로 확보하고자 한다. 케냐 국가 전력화 전략(KNES)에 따라 전력 소비는 크게 늘어날 것으로 보인다. 케냐 국가 전력화 전략은 2022년까지 전체적인 전력화를 목표로 하고 있어 풍력 보급에 대한 수요가 더욱 늘어날 것으로 보인다. Lake Turkana 풍력발전단지는 케냐의 재생에너지 부문에 중요한 도약이기도 했지만 프로젝트 실행에 치명적인 문제를 드러내기도 했다. 프로젝트 초기에 벌어진 토지 소유권에 대한 논쟁으로 프로젝트가 지연되었고, 이후 계통에 연결되는 데도 15개월 지연되었다. Lake Turkana 풍력발전단지는 케냐 풍력발전의 야망과 규모에 대한 증거가 되었으나 허가 과정과 계통 용량에 대한 문제점을 상기시켜 주기도 한다. Lake Turkana 프로젝트는 아프리카 시장에서 공공풍력발전단지가 늘어나는 전력 수요에 대한 해결책이라는 점을 보여준다. 그러나 반면에 격동의 개발 및 건설 과정은 현장의 문제들을 보여주기도 한다. 2019년 8월 완공되어 2020년 운영될 케냐-에티오피아 양국가간 전력망은 아프리카 지역에서 케냐의 리더십을 보여줬다. 해당 프로젝트는 동아프리카 전력 풀(EAPP)의 근간이 되어 지역 통합과 국가간 무역에 대한 진전을 이뤄낸 것이다.이러한 가능성과 진보에도 불구, 케냐 정부는 여전히 2022년 이후의 석탄 기본계획과 석유 생산 관련 계획을 세우고 있으며 탄자니아로부터 가스를 수입하려고 한다. 케냐의 경쟁력 있는 에너지 환경을 고려했을 때 풍력산업은 Lake Turkana의 성과를 이어나가는 것이 중요하다. 정부와 산업계는 거의 문제로부터 교훈을 얻어 케냐의 풍력발전 환경을 개선시켜야 할 것이다

다) 베트남

베트남에는 해안지대가 3,000km가 넘고 남쪽 지방의 평균 풍속은 m/s~9m/s에 달하기 때문에 풍력발전에 대한 잠재력은 상당하다. 세계은행에서 발표한 두 개의 보고서에 의하면 베트남 전역에서 육상풍력은 24GW, 해상은 475GW 풍력 기술 용량이 확인되었다고 한다. 베트남 정부는 급등하는 에너지 수요를 충족하고, 에너지 포트폴리오를 다양화하여 에너지 부족 문제를 예방하기 위해 노력중이다. 에너지 정책의 초점이 저렴한 요금에서 빠른 에너지 용량 확보로 옮겨가고 있는데 이는 재생에너지를 포함시키려는 노력을 지지하는 것과 같다. 2019년 말 베트남의 누적 풍력발전 설비용량은 487.4MW였다. 이중 99MW가 아세안 지역 최초의 조간대 해상풍력이었다. 몰려드는 국내외 투자 덕분에 베트남 풍력 시장은 2025년까지 4GW 가량의 용량이 새로 설치될 것으로 보인다. 베트남에서 풍력발전의 비용은 이미 지열발전 대비 경쟁력

이 있으나, 베트남 정부가 적극적으로 나서고 송전 투자를 전략적으로 관리하지 않는 이상 2021년 이후의 성장은 FIT 제도의 만료와 출력제한에 대한 문제가 우려된다.

라. 풍력에너지 주요 기업[35]

세계풍력시장은 현재 유럽, 미국 업체들이 풍력터빈 시장을 주도하고 있다. 베스타스(덴마크), 지멘스(독일), GE(미국) 등 주요 업체들이 세계 시장점유율의 약 50%를 차지하고 있으며 중국기업도 원가절감과 기술격차 축소에 힘입어 세계시장의 약 20%를 차지하고 있다. 이에 반해 국내 주요 업체로는 두산중공업, 유니슨, 한진, 효성중공업 등이 있으나 아직 세계시장에서의 점유율은 크지 않은 상황이다.

순위	회사	국가	시장점유율
1	Vestas	덴마크	9.60
2	Siemens Gamesa	독일/스페인	8.79
3	Goldwind	중국	8.25
4	GE	미국	7.37
5	Envision	중국	5.78
6	MingYang	중국	4.50
7	Windey	중국	2.06
8	Nordex	독일	1.96
9	Shanghai Electric	중국	1.71
10	CSIC	중국	1.46

표 9 글로벌 풍력기업 top10 (2020)
36)

35) 해상풍력의 국내 경쟁력 현황 및 제고방향, 전기저널, 2020.11.13
36) 출처 : 글로벌 풍력기업순위 No1~No10. 블로거_복순네막걸리, 2020.08.22

1) 베스타스 [37][38]

덴마크 사람들은 예부터 풍차를 돌려 동력을 만들어냈다. 19세기 말 전기가 보급될 무렵 풍력발전기를 만들어 농촌 지역에 널리 퍼뜨린 것도 덴마크 사람이었다. '바람의 나라' 덴마크에서 세계 최대 풍력발전기 회사인 베스타스(Vestas)가 탄생한 것은 우연이 아닐지 모른다. 베스타스사는 전 세계 풍력발전용량의 19%를 공급하고 있는 풍력발전 업계 1위 기업이다. 세계 최초로 풍력발전기를 상용화한 베스타스는 1990년대 들어 세계적으로 부는 풍력발전기 설치 바람을 타고 급성장했다. 지멘스, 제너럴일렉트릭(GE) 등 글로벌 기업이 풍력발전 시장에 가세하며 경쟁이 치열해진 가운데 베스타스는 날개의 무게를 줄이고 운영시스템을 최적화하는 등 기술 개발에 전념했다.

1998년 상장할 당시 베스타스의 세계 풍력발전 시장점유율은 22.1%에 달했다. 10여 년간 베스타스는 업계 1위 자리를 고수하며 성장을 거듭했다. 2003년 17억 유로에 불과했던 매출은 2008년 60억 유로로 뛰며 연평균 28.8% 성장했다. 이 시기에 주가는 1,300% 가까이 폭등했다. 2004년에는 덴마크의 또 다른 풍력터빈 회사인 NEG미콘을 인수·합병(M&A)하면서 세계 시장점유율을 32%대로 끌어올렸다. 최근 미국과 중국의 물량공세에 밀려 점유율에서 주춤하고 있지만 베스타스의 풍력발전

37) 출처 : 베스타스 홈페이지
38) 베스타스, 내년 15MW 해상풍력발전기 내놓는다, 에너지신문, 2021.02.23

기는 지금도 세계 어딘가에서 4시간에 한 대 꼴로 건설되고 있다. 2019년 9월 세계 각지에서 33만 개의 풍력발전기가 생산하는 약 600 기가와트의 전력 중, 베스타스는 7만개의 발전기로 약 110 기가와트를 생산해 세계 풍력발전의 20% 정도를 차지했다.

베스타스가 1979년 처음 개발한 풍력발전기는 로터 10m에 30kW급 용량에 불과했지만, 최근 3mW급 풍력발전기 로터의 지름은 101m로 대형화됐다. 수천 가구에 전력을 공급할 수 있는 mW급 풍력발전기는 대당 공급 가격이 수백만 유로에 이를 정도로 고가 상품이다. 이런 제품에 결함이 생기면 엄청난 손실이 불가피한 탓에 베스타스는 2년간 제품 테스트를 거친 후 신제품을 출고하는 것으로 알려졌다. 또한, 연구개발·설계→시제품 제작→완제품 생산→시험→설치→유지 및 보수에 이르는 전 과정을 자체적으로 관리·감독해 안정성을 높인다. 전 세계에 설치된 5만4000여 대의 베스타스 풍력발전기에서 각종 운영 데이터(온도·풍속·회전속도 등)를 모두 집계해 새로운 기술개발의 기초 자료로 활용한다.

또한, 최근에는 베스타스는 15MW 용량의 신형 해상풍력 터빈을 개발한다고 밝혔다. 베스타스에 따르면 신형 터빈은 15MW 설비용량으로 4만 3000m^2 이상의 회전자 면적 및 236m의 회전자 직경 규모를 자랑한다. 이는 현재 상용화된 풍력발전기 중 최대 규모다. Henrik Andersen 베스타스 CEO는 "새로운 해상 플랫폼을 도입하는 것은 매우 중요한 여정을 향한 회사의 진전"이라며 "15MW 해상 풍력발전기 건설로 풍력 발전 비용을 절감, 향후 해상 풍력 발전 제공에 있어 고객 경쟁력을 높일 수 있을 것"이라고 강조했다. 발전기는 연간 80GWh의 전력을 생산할 수 있을 전망이다. 이는 유럽 내 2만가구에 전기를 공급할 수 있는 양이며 3만 8000톤의 CO_2를 감축할 것으로 예상된다. 프로토타입은 2022년 설치될 것으로 예상되며, 실증을 거쳐 2024년부터 대량생산에 착수할 계획이다. 베스타스는 향후 15MW 해상풍력 발전기 양산을 통해 글로벌 해상풍력 입찰에서 경쟁 우위를 점할 것으로 기대하고 있다.

국내 풍력발전의 역사가 곧 베스타스의 한국 진출 역사라고 할 만큼 우리나라와의 인연도 깊다. 지난 2007년 설립된 한국법인을 중심으로 제주·강원 등지 풍력발전단지 건설에 참여하며 지금까지 122기를 보급했다. 베스타스는 현재 약 50%의 국내 시장점유율을 보이며 1위 자리를 차지하고 있다.

2) GE[39][40]

1996년 1.5mW급 풍력시스템 개발을 시작으로 다양한 모델을 선보인 GE는 그동안 35개국에 3만기 이상의 풍력시스템을 공급했다. 설치된 설비용량만 45GW 이상에 달한다. 트랙레코드 확보 측면에서 단연 돋보이는 성적이다.[41]

글로벌 최대 인프라 기업 GE는 지난 2014년 11월, 97억 유로(약 106억 달러)에 상당하는 알스톰의 발전 및 송배전 사업 부문 인수를 매듭지었다. 1878년 GE 창사 이래 최대 규모의 이번 인수합병은 세기의 '빅딜'로 전 세계의 주목을 받았다. 통합 230년에 해당하는 두 글로벌 기업의 오랜 지식과 경험이 한 데 합쳐진 순간이었기 때문이다. 특히, GE는 전 세계 발전설비의 25% 가량을 공급하고 있는 알스톰의 발전 사업부를 인수하는 것으로 기존 에너지 사업 역량을 더욱 강화했다. 실제로 500기가와트 규모에 이르는 알스톰의 기존 발전 설비 자산을 인수해, GE 설비의 발전 규모가 50% 증가해 총 1,500 기가와트가 되었다. 미국 전체의 전기 수요를 상회하는 발전 규모다. 이를 기반으로 GE는 발전소 종합 설계 능력을 전반적으로 향상시키고, 보다 통합적인 솔루션을 제공할 수 있게 됐다.[42]

또한 2020년에는 GE사가 현존 최대급인 12MW급 해상풍력발전기 터빈에 대한 형식인증을 완료했고, 미국과 영국에서 본격적인 가동에 돌입할 전망이다. REVE 보도에 따르면 현재 전세계에서 가장 강력한 풍력발전기인 GE의 Halidad-X 12MW 터빈이 DNV GL에 의해 임시형식 인증서를 획득했다. GE 재생에너지는 향후 몇 개월 내에 풀 타입 인증을 획득하기 위해 궤도에 오르게 된다. 할리아드-X 기술은 이미 미국과 영국의 4.8GW 규모의 해상풍력발전프로젝트에 우선적으로 선정돼 500만 가구 이상의 전력을 공급할 수 있다. 이 인증은 GE의 Halidad-X 프로토타입이 가장 높은 안전 및 품질 표준을 가지고 있음을 증명하며 설계가 전체 형식 인증 요건을 충족하기 위해 궤도에 올랐다는 증거를 제공한다. Halidad-X 기술은 미국의 120MW Skip Jack 및 1,100MW Ocean Wind 프로젝트와 영국의 3,600 MW Dogger Bank 해상풍력발전소의 우선 풍력발전기로 선정됐다. GE의 Halidad-X 기술을 합치면 양국에서 500만 가구 이상의 전력을 공급하게 된다. 할리아드-X 시리즈 생산은 2021년 하반기 프랑스 GE 생나자르 공장에서 시작된다.

---

39) 중국·유럽에 맞서…GE·도시바 '해상풍력 동맹', 한국경제, 2021.02.23
40) GE, 세계 최대 12MW급 풍력발전기 설치 돌입, 투데이 에너지, 2020.06.29
41) EPJ. 2016.04.18. <혁신 아이콘 GE, 한국 풍력시장에 '도전장'>
42) 조선일보, 2015.12.19. <GE, '세기의 빅딜'로 세계 최대 에너지 기업 도약>

여기에 최근 미국 제너럴일렉트릭(GE)과 일본 도시바가 제휴관계를 맺고 해상풍력발전의 핵심 설비를 공동으로 생산할 것으로 보인다. 세계 시장을 장악한 유럽과 중국에 맞서는 미국과 일본 대표 에너지 기업의 연합전선이 구축된 것이다. 니혼게이자이신문에 따르면 GE와 도시바는 해상풍력발전의 핵심 설비인 발전장치(나셀)를 공동 생산하는 협상을 벌이고 있다. 두 회사가 기술력을 모아 도시바의 발전 계열사인 도시바에너지 요코하마 공장에서 발전설비를 공동 생산할 방침이다. 도시바가 최근 화력발전사업 시장에서 철수를 결정하면서 남게 된 요코하마 공장의 설비와 인력을 활용할 계획이다. GE는 육상풍력발전 시장에서 높은 점유율을 확보한 반면 해상풍력발전 시장에서는 후발주자로 분류된다. 도시바와의 제휴로 대규모 해상풍력발전 건설이 예정된 일본에 거점을 확보해 선두권 기업과의 격차를 줄이려는 전략으로 분석된다. 양사는 이미 원자력발전과 화력발전 분야에서 제휴관계를 맺었다.

3) 골드 윈드

골드윈드는 중국 1위, 전세계 2위의 풍력 터빈제조 기업이다. 골드윈드는 1998년 설립된 풍력터빈 생산 및 공급 기업으로 2013년 중국 내 가장 큰 풍력기업으로 선정됐으며 전 세계 27개국에 1만4,000기·19GW 규모의 풍력발전기를 설치해 세계에서 2번째로 많은 풍력터빈을 공급한 기업이다. 생산 기종은 750kW~2.5mW까지로 육상풍력 전용인 1.5mW, 육·해상 공용인 2.5mW급 발전기가 주력기종이다. 특히 최근 육·해상 공용 3.0mW급 발전기 프로토타입을 가동하고 있으며 해상풍력용 6mW, 10mW급 풍력발전기 개발을 진행 중이다. 특히 2.5mW, 3.0mW, 6.0mW 제품은 해상풍력 모델로 개발돼 해상풍력 개발 사업이 점차 확대되고 있는 한국시장에서 충분한 경쟁력을 발휘할 것으로 기대된다. 이 가운데 우선 한국시장에 선보일 제품은 2.5mW 모델 2종으로, 현재 한국에너지공단의 대형풍력 인증 절차를 밟고 있다.

골드윈드가 이처럼 다양한 모델을 개발할 수 있는 것은 우수한 전문 연구인력 때문이다. 골드윈드는 독일 노인키르센(Neunkirchen)과 중국 베이징 두 곳에 R&D 센터를 운영 중이다. 1,000여 명에 달하는 연구개발 인력은 풍력시스템 개발과 업그레이드에 특화된 엔지니어로 구성돼 있다. 특히 기업 내에 Goldwind University라는 대학교를 설립해 유지보수, 품질관리 등 풍력분야에 특화된 전문 인력을 양성하고 있다.

4) 국내기업[43)44)45)46)]

국내 터빈 기업들은 환경규제로 인한 부지확보에서 어려움을 겪고 있으며, 해외 터빈 기업들의 국내 진출로 인해 경쟁이 심화되면서 이중고를 겪고 있다. 부지를 확보해도 품질과 가격 측면에서 선진 업체 대비 뒤쳐져 국내 풍력터빈의 설치가 쉽지 않은 상황이 지속되는 것이다.

2018년 기준, 국내 풍력시장의 풍력터빈 제조사별 점유율은 상업운전 기준 ▲베스타스(35%) ▲두산중공업(12.7%) ▲유니슨(11.4%) ▲현대일렉트릭(9%) ▲악시오나(5.6%) ▲지멘스가메사(4.2%) ▲GE(4.1%) 등 순이다.

주목받고 있는 풍력 관련 기업들은 주로 풍력발전기 타워 등 '부품' 업체다. 세계시장을 무대로 경쟁력을 쌓은 부품사들에 비하면 국내 풍력발전기 제조사들은 해외 선도기업들에 비해 한참 열위에 있는 것이 현실이다. 풍력발전기는 바람에 의해 발생하는 에너지를 전기에너지로 변환하는 시스템이다. 풍력발전시스템 또는 풍력터빈 등으로 불린다. 한국에서 이를 만드는 기업은 대기업 중 두산중공업과 효성중공업, 중소기업에선 유니슨 뿐이다. 2000년대 후반 풍력시장에 뛰어들었던 현대중공업과 삼성중공업, 대우조선해양 등은 수익성 문제로 발을 뺀지 오래다. 아직까지 세계 시장에서 국내 기업들의 기술력과 가격 경쟁력은 모두 뒤쳐져 있다. 세계 풍력발전시장은 독일 지멘스와 미국 제너럴일렉트릭(GE), 덴마크 베스타스 등 상위 10개 회사가 70% 이상의 점유율을 차지하고 있다. 더구나 풍력발전 시설은 점점 대형화되고 있어 기술력 차이는 더 벌어지고 있다.

그러나 불과 몇 년 전까지만 해도 해외 풍력시스템 제조업체로부터 큰 관심을 받지 못했던 한국 풍력시장이 조금씩 주목받고 있다. 이유는 유럽시장의 포화와 국내 시장의 성장 가능성 때문으로 풀이된다. 여기에 아시아를 비롯한 해외시장 진출을 위한 전략적 거점으로서 한국이 갖는 강점이 작용했다는 분석이다. 이런 때 정부의 강력한 재생에너지 보급 정책은 활기를 잃은 국내 풍력발전기 산업에 불씨를 지피고 있다. 재생에너지 보급 비중을 2030년까지 20%로 올리겠다는 목표 아래 풍력발전은 17.7GW(육상 5.7GW, 해상 12.0GW)로 확대할 계획이다. 정부의 풍력발전 '

43) 춘추전국시대 열린 국내 풍력시스템 시장, 일렉트릭파워, 2018.03.14
44) 풍력발전기 '국산화' 바람은 불 수 있을까, the bell, 2020.06.11
45) 국내 유일 해상풍력발전기 제조… 연매출 1조 목표,조선비즈, 2020.11.05
46) KOSME 산업분석 리포트-태양광·풍력을 중심으로 한 신재생에너지, 2019.07, KOSME융합금융처

국산화'에 대한 의지도 기대감을 높이는 요인이다.

풍력발전 산업은 고도의 설계기술과 우수한 노동력이 요구되며 플랜트·건설과 단조·철강·기계·전기·전자 등 전·후방 산업의 연관효과가 매우 높은 종합산업의 특징을 지니는 노동·기술집약적 종합산업이다. 즉, 풍력은 조선, 중공업 등 대기업의 풍력기업화가 가속화 되고 타워, 부품 등 중간제품은 중소, 중견기업이, 시스템 완제품은 대기업이 맡아 상생, 공존하는 대표적인 중소,대기업 동반성장 분야로 성장하고 있어 중소· 대기업의 동반성장을 기대할 수 있다.

풍력발전 산업의 가치사슬 (Value Chain)은 크게 '풍력발전부품 업체→풍력 터빈 발전기→풍력발전단지(설치시공, 계통연계)'로 구성된다.

풍력발전 산업의 가치사슬

구분	발전기 부품	풍력 터빈 발전기	풍력발전단지
	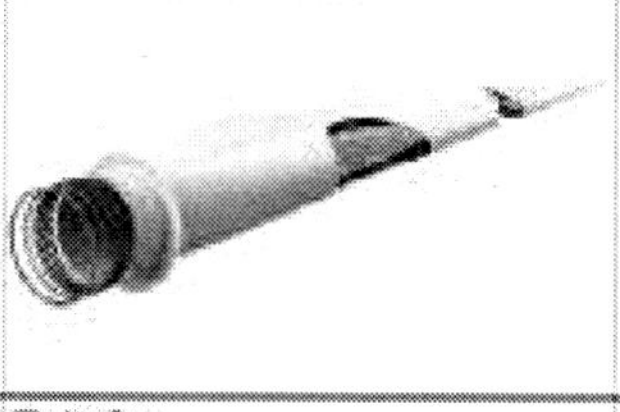	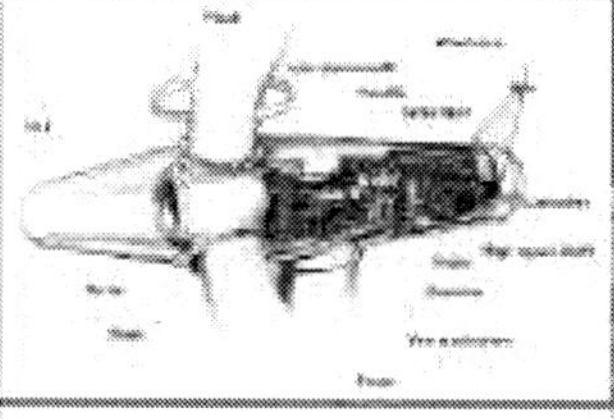	
업체	증속기: **효성, 두산중공업, 삼양가속기, 유니슨, 우림, 평산** 전력변환장치: **플라스포, 유니슨**	**현대중공업, 효성, 보국전기, 두산중공업, 유니슨**	현재 발표된 국내 풍력 발전 단지 개발 계획 육상: 1,357 MW 해상 6,900 MW

먼저, 블레이드(Blade)는 풍력 발전의 가장 기본적인 구성요소로, 바람이 가진 운동에너지를 기계적 회전동력으로 전환하는 부품이다. 풍력에너지 발전량은 일정한 풍속에서 블레이드의 회전면적에 비례하여 증가하므로 풍력터빈 및 부품 제조사는 경쟁적으로 제품을 대용량화하는 추세이다. 최근 풍력터빈 정격출력이 1.5~2MW에서 5MW 이상으로 커지면서 약 40m였던 블레이드 길이도 60~80m까지 증가하고 있으며, 5MW급 이상 대형 풍력터빈용 블레이드 양산능력을 확보한 제조사는 덴마크의 LM Wind Power(생산능력 7,500MW), 독일 SGL Rotec 및 Euros (생산능력 300MW)가 있다. 또한 국내에서는 전북 군산의 ㈜KM이 유니슨㈜ 및 두산중공업㈜과 협력하에 블레이드 제조기술을 축적하였고, 750MW, 2MW 및 3MW급 블레이드 생산라인을 각 1기씩 운영하고 있는 상황이다.

또한 증속기 (Gearbox)는 풍력터빈의 블레이드와 발전기 사이에 위치하면서 저회전·고토크의 블레이드 입력동력을 고회전·저토크의 출력동력으로 변환하여 발전기에 전달하는 기어장치이다. 증속기 기술은 풍력터빈이 대형화됨에 따라 기어비를 늘리고 발전기의 크기를 작게 하는 형태로 진행되고 있으며, 15년 상위 5개사의 시장 점유율이 85%이상이며, 풍력터빈의 대형화 추세에 따라 증속기도 2.5MW급 이상의 보급률이 증가하고 있다. 국내의 경우, 두산모트롤, 우림기계, S&T 중공업이 증속기 사업에 참여한바 있으나 국내 풍력터빈 업체가 풍력 사업을 축소하고 있어 풍력 관련 핵심 기자재 국내 시장의 형성이 지연되고 있다.

다음으로 발전기 (Generator)는 기계적 회전동력을 전력으로 전환하는 장치로, 시스템 효율을 결정하는 핵심부품이다. 향후 터빈 대형화 및 에너지저장장치 (ESS, Energy Storge System)의 적용 등으로 발전 단가를 낮추는 방향으로 기술개발이 진행될 것으로 전망되며, 육상용 풍력 발전기는 2~3MW급을 대상으로 저가격으로 높은 발전량을 얻을 수 있고 발전단가가 낮은 시스템 개발에 초점이 맞춰지고 있는 추세이다. '17년 Simens Camesa가 8.7GW의 풍력발전기를 판매하여 Vestas를 근소한 차이로 앞서 세계 1위 공급업체가 되었고, 국내에서는 두산중공업, 보국전기공업 및 유니슨 등이 꾸준히 세계시장 진출을 모색하고 있다.

두산중공업	*'11년 국내 최초로 3MW급과 14MW급 해상용 풍력 발전기를 개발함 *두산중공업은 국내 업체 중 유일하게 제주도와 서해 등 전국에 약 240MW 규모의 풍력발전기를 공급했음. 국내 해상풍력 시장은 향후 10년간 12GW 이상 확대될 전망인데, 두산중공업은 해상풍력을 오는 2025년까지 연 매출 1조원 이상의 사업으로 육성할 계획.
보국전기공업	*대형 풍력 발전용 발전기로 750kW급 발전기를 개발함
유니슨	*750kW, 2MW, 2.3MW급 대형 풍력발전기를 개발하여 미국, 자메이카, 세이셀, 우크라이나, 일본, 에콰도르 등에 풍력발전기 납품함

풍력발전시스템은 바람이 가진 운동에너지를 풍력터빈의 기계적 회전동력으로 전환한 후 유도전기를 생산하여 수용가에 송전하는 기술이다. 풍력터빈이 대형화되며, 대규모 풍력발전단지가 주 전력계통으로 편입되고 있어 고효율 전력변환 및 송전 시스템의 중요성이 부각되고 있다. 풍력발전은 사업 예정지의 입지적인 특성이 경제성을 좌우하므로 발전단지 건설을 위해서는 풍량, 지형 및 기후 등의 입지 조사를 수행하여 연간 발전량을 객관적으로 추정해야 한다. 국내 풍력발전은 환경부와 산림청이 진입로 규제 등을 완화하여 본격적으로 성장하고 있으며 한국남동발전, 한국남부발전, 한국중부발전, 한국동서발전, 제주 에너지 공사 등의 기업들이 시장에 참여하고 있다.

특히 해상풍력발전은 해상에 설치된 풍력터빈 시스템을 연계하여 발전단지를 구축하는 기술로, 해상운송, 설치, 계통연계, 유지보수 등 다양한 기술이 복합된 발전플랜트 엔지니어링 사업으로, 지지구조물 및 기초에 대한 고도의 설계 기술 이외에도 해수에 노출된 가혹 환경에서 내부식성 문제를 해결하기 위한 재료의 선정과 풍력터빈 내부의 안전환경을 유지하기 위한 부대설비 등이 추가적으로 고려되어야 한다. 해상풍력발전단지 건설을 위한 사업수행 절차는 1) 사업타당성 조사, 2) 설계, 구매 및 시공, 3) 유지보수로 구분되며 풍황 자원 취득과 해석을 위한 해상 기상탑의 건설과 데이터 구축에 장시간이 소요되는 등 사업 기간이 최소 3년 이상이다.

기술군	부품소재	국내기업
풍력 발전기 부품 요소	블레이드	KM, 데크항공, 휴리스
	증속기	효성, S&T 중공업, 평산
	발전기	현대중공업, 삼성중공업, 두산중공업, 대우조선해양, STX 중공업, 효성, 유니슨
	베어링	일진, 신라정밀, 용현BM
	타워	동국S&C, CS 윈드
	전력변환장치	현대중공업, 효성, 플라스포
	변압기	현대중공업, 효성
	단조품	태웅, 동국S&C, 현진소재, 용현BM, 마이코스, 유니슨, 평산, 삼정B&W, CS 윈드, 윈앤피, 스페코
	주조품	캐스코, 코텍산업
발전단지 건설		삼성물산, 현대중공업, 대우조선해양, 효성, 유니슨

자료: 산업통상부

그림 47 국내 풍력 관련 기업 현황

4

풍력발전 관련 기술동향 및 응용분야

4. 풍력발전 관련 기술동향 및 응용분야[47]

가. 기술동향

1) 국내 기술 동향[48]

우리나라의 풍력발전의 확대가 어려운 가장 큰 이유 중 하나인 풍향조건이 외국에 비해 떨어진다는 단점이 있다. 육상풍력보다 해상풍력이 이것을 극복할 수 있다고 하지만 해상풍력은 그만큼 초기비용이 많이 들어가기 때문에 이 또한 해결해야할 문제 중 하나이다. 현재 유니슨, 두산중공업, 효성 같은 국내 풍력발전기 제조 기업들은 내수시장에 뛰어들어 해외기업들과 점차적으로 기술격차를 줄여나가고 있지만, 국산 부품을 적극 활용하지 못하고 있다. 아직까지는 국산화로 개발된 풍력발전기는 유럽산 대비 가격 및 성능 경쟁력에서 열위이며, 중국산에 비해서도 가격 및 성능 경쟁력이 열위인 위태로운 상황이다. 지금까지는 정부의 기술개발 지원에 힘입어 5mW급까지 상용화 개발에 성공했지만 부족한 신뢰성과 내구성 검증 및 실적으로 인해 수출 산업화가 지연되고 있으며 이로 인해 산업 생태계가 갈수록 취약해지고 있다. 지금까지는 시스템 및 제품 개발 위주의 기술개발이 진행되어 왔으나 개발 기술의 장기 시험평가 등의 성숙기를 거치지 못한 탓에 부품의 경우에는 시제품 단계에 머문 측면이 강하고, 시스템은 최적화가 미흡한 상황이다.

따라서 향후에는 제품 개발 위주의 기술개발 전략에서 성능개량 및 신뢰성 확보를 위한 기술 분야에 대한 지원이 필요하며, 이에 필요한 인프라 구축 역시 지원이 필요하다. 특히 궁극적으로는 풍력발전기 성능검사 및 인증 분야에 있어서 상호인정을 목표로 하는 신재생에너지 국제인증제도(IECRE) 체제가 출범한 상황에서 가격 및 성능 경쟁력을 무기로 국내 시장에 진출을 도모하는 유럽 제작사들로부터 내수시장을 방어하려면 기존 기술을 바탕으로 가격 및 효율 경쟁력 확보를 위한 기술개발이 필요하다. 이러한 측면에서 일부 기업을 중심으로 진행되고 있는 풍력발전시스템의 성능개량을 통한 모델 다양화는 국내 기업들이 지향해야 하는 전략일 것이며, 또한 우리나라의 지역적 특성에 맞는 터빈기술개발이 필요하다.

47) 풍력 융복합발전 기술동향, 한국에너지기술연구원
48) [취재] 국내해상풍력은 순항할 수 있을까?,에너지 설비관리, 2019.11.18.

<블레이드기술 개발>
 실증단계에서 쓰인 기술로 저풍 속에서도 고효율을 낼 수 있는 블레이드기술개발이다. 블레이드의 길이를 증가시키는 것이 대용량 풍력터빈개발의 목적 중 하나이기 때문에 우리나라의 기술개발 또한 이에 초점을 둔 것으로 보아진다. 경량탄소섬유로 제작해 날개 직경을 100m에서 134m로 늘렸으며 대부분 국내 기술력으로 설계·제작·시공해 국제 경쟁력 또한 확보했다는 평가를 받고있다.

<고도의 지지구조물 개발>
 지금까지 국내에 적용된 해상풍력 지지구조물은 Jacket형식으로 강구조물이다. 강구조물의 경우, 풍력터빈의 강한 진동과 무거운 하중피로도를 견딜 수 있게 고도의 설계기법이 필요한상황이다. 바다의 특성상 부식과 변형에 잘 견딜 수 있게 강한 콘크리트 재료를 기초로 하여 새로운 형식의 지지구조 형상을 개발하려 한다. 이에 콘크리트와 석션기초를 조합하여 말뚝기초를 적용한 Jacket 형식 대비 경제적인 지지구조 형식을 제안하고있다. 우리나라의 서해안은 상대적으로 수심이 얕아 콘크리트를 기반으로한 구조물 형태를 고정식 기술로 사용하고 있으며, 이와 달리 동해안의 경우 수심이 깊어 부유식기법으로 풍력발전을 지지 할 수 있도록 개발하고 있다. 우리나라의 해안 특성에 맞는기술개발이 잘 이행되고 있다.

<풍력발전기의 대형화>
 전체적으로 2000년대 이후부터 풍력발전기의 가장 큰 변화는 풍력발전기의 대형화이다. 대형화에 따라 풍력발전의 경제성이 향상되면서 기존 제작사들은 보다 대형 풍력발전기를 생산하는데 주력하고 있다. 또한, 해상풍력시장이 주요 시장으로 부각되고 있다.

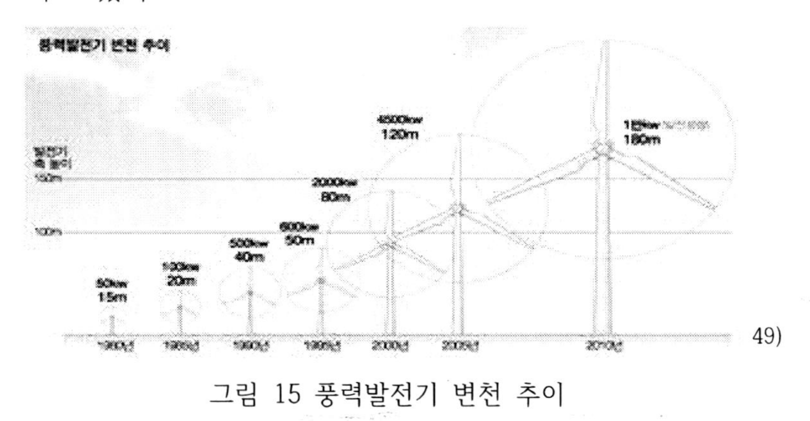

49)

그림 15 풍력발전기 변천 추이

49) 출처 : `신재생 에너지` 선진도시로 가는 길 <2> 덴마크 풍력발전의 원동력 리소국립연구소, 국제신문

현재 GE사에서 2021년까지 전력 12MW를 생산하는 높이 260m에 이르는 '할리아데-X' 발전기를 설치하겠다고 발표하며 가장 큰 규모의 풍력발전기 개발에 힘쓰고 있다.[50] 사진자료는 세계 최대 발전용량의 풍력발전기로서 6~7mW급 풍력발전기들로 구성되어 있다.

그림 16 세계 최대 용량의 풍력발전기

국내에서도 삼성중공업, 현대중공업 및 효성, 두산 등이 각각 7mW, 5.5mW, 5mW 및 3mW의 해상용 풍력발전기를 개발하였으나 삼성중공업과 현대중공업은 풍력사업 구조조정을 통해 철수하였으며, 현재 국내에서 조달 가능한 최대 용량의 풍

50) http://www.seoul.co.kr/news/newsView.php?id=20180831500051&wlog_tag3=naver 참고.

력발전기는 두산중공업의 5.5mW이다[51)]
[52)]

<해상 풍력 발전>
풍력발전의 가장 큰 걸림돌은 바람이 항상 불지 않는다는 점, 소음과 조망권 침해에 따른 지역 주민들의 반발 등을 들 수 있다. 이런 문제를 해결하기 위해서는 여러 가지 방안들이 제시되고 있는데, 그중 한 가지가 해상에 풍력발전 설비를 설치하는 것이다. 해상에 풍력발전 설비를 설치하면 난류가 적고 풍속이 육상보다 빨라 발전량이 늘고 피로 하중을 줄일 수 있는 장점이 있게 된다. 유사 조건의 육상 풍력발전과 비교해 1.5배의 발전량을 얻을 수 있다. 특히 한국의 경우 육상 풍력 발전의 이용률이 30% 미만이어서 경제성을 확보하기 힘들다는 단점도 해상 풍력 발전을 통해 극복할 수 있다.

최근 한국은 해상풍력발전을 위한 풍력터빈과 부유식 풍력시설물 개발에 착수했다. 산업부와 한국에너지기술평가원으로부터 100억 원의 연구비 지원을 받아 울산대, 마스텍중공업, 유니슨, 세호엔지니어링 등으로 구성된 컨소시엄이 2019년까지 파일럿 규모의 부유식 해상풍력 시스템을 설치할 계획이다. 사용하는 풍력터빈은 750킬로와트급이다.

전 세계 해상풍력 시장의 성장률은 23.8%로 풍력시장의 성장률 12.4%를 넘어서고 있어 한국도 서남해 2.5기가와트 해상풍력 사업과 제주도 해상풍력 사업을 추진하며 특히 6차 전력수급계획에서 2027년까지 풍력설비용량을 17기가와트까지 올릴 계획이다. 에너지기술평가원은 해상 풍력 기술 중에서도 해상풍력에서 생산한 대량의 전력을 손실 없이 안전하게 육지로 가져오는 해저전력망 기술 개발에 집중하고 있다. 에너지기술평가원은 해상풍력 내부전력망 해저케이블 설치기술 개발과 실증, 해저케이블 고장 구간 탐지와 보호 기술 개발, 내부 전력망 운영기술 개발을 확보한다는 계획이다.[53)]

51) http://4th.kr/View.aspx?No=917237 참고.
52) 출처 : Windpower Monthly
53) 참조 : 에너지경제신문 2015.08.07 <[기획/미래 바꿀 에너지기술] ② 소형풍력, 해상풍력케이블, 수소생산 저감 기술>

2) 해외 기술 동향

가) LCOE의 저감을 위한 다양한 기술개발

유럽 및 미국에서는 균등화 발전단가(LCOE)의 저감을 위한 다양한 기술개발을 진행하고 있다. LCOE에서 가장 큰 부분을 차지하는 것은 풍력발전기 비용이며 그 다음이 전력 계통 연계 비용이다. 따라서 풍력발전기 제작사들은 풍력발전기의 가격 저감에 집중하게 되며, 발전단지 건설 및 운영사들은 전력계통 연계비용을 최소화하기 노력하게 된다. 해상풍력은 하부구조물 및 해저 전력선 등과 같은 추가적인 설비와 해상 설치 및 운전의 어려움으로 인한 보험료 및 예비비 등으로 인해 LCOE의 구성 및 그 비율이 육상풍력과는 다르다. 54)

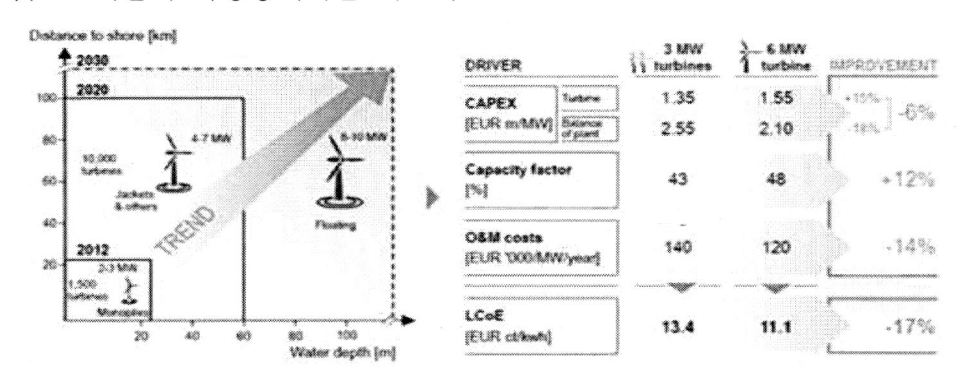

그림 17 풍력발전기 대형화에 의한 LCOE 저감 효과

6mW급 풍력발전단지는 3mW급 2기를 설치하거나 또는 6mW 1기를 설치하여 구성할 수 있으나 6mW 1기로 구성할 때 풍력발전기 구매 비용에서 6%를 저감 가능함을 알 수 있으며 유지보수 비용은 14%가 저감됨을 보여주고 있다. 반면에 설비이용률(CapacityFactor)는 12%가 증가한다. 이 같은 대형화는 5mW에서 10mW로 대형화 될 때 LCOE 저감 효과가 가장 크며, 설비이용률 증가 역시 이 구간에서 가장 극대화한다. EU는 해상풍력발전의 경우 현재 11~18유로 센트/kWh인 LCOE를 2020년까지 9유로 센트/kWh로 저감하는 것을 목표로 관련 기술개발을 진행하고 있다. 해상풍력발전에서 가장 큰 시장 점유율을 갖고 있는 Siemens는 이 보다 더 낮은 최대 5유로 센트/kWh로 저감한다는 목표를 갖고 있으며, 유럽에서 주요 풍력발전사업자 중 하나인 DONG Energy는 2017년까지 20~30% 저감이 가능하다는 입장이다.55)

54) 출처 : 2013 RBSC Offshore Wind
55) 2016 신재생에너지백서, 한국산업통상자원부

나) 해상 풍력발전

덴마크는 이미 세계 최대 발전 용량을 자랑하는 니스테드 해상 풍력단지를 조성해 운영하고 있다. 이 단지에는 풍력 터빈 72기가 연간 60만 메가와트의 전력을 생산해내고 있다. 노르웨이도 해상 풍력발전에 적극적이다. 노르웨이의 에너지 기업 스탯오일 하이드로는 해안에서 10KM나 떨어진 먼 바다에 풍력발전기를 설치하는 프로젝트를 진행하고 있다. 이 경우 대형 터빈과 송전탑 건설을 위해 산이나 해안의 자연을 훼손하지 않아도 되기 때문에 지역 주민이나 환경단체의 반발도 잠재울 수 있다. 이를 위해 스탯오일 하이드로는 부표처럼 물 위에 띄울 수 있는 부유(浮游)형 풍력발전기를 개발하는 중이다.

사실 해상 풍력단지는 육상단지에 비해 건설비용이 2배 이상 들어가는 데다 헬리콥터 운영 등 관리비도 만만치 않다. 그럼에도 전 세계는 해상 풍력단지 건설을 앞 다퉈 추진하고 있다. 육지에는 풍력터빈을 설치할 장소가 마땅치 않기 때문이다. 전 세계적으로 해상풍력은 유럽지역을 중심으로 급격히 증가하는 추세다. 덴마크는 2030년까지 해상 풍력으로 전체 전력의 20%를 생산하겠다는 목표를 세우고 있다. 영국, 독일, 미국, 프랑스, 스페인, 중국 등도 해상풍력발전 프로젝트 추진 중이다. 현재 전 세계 해상풍력 총 용량은 약 2기가와트 수준이며 계속 증가 추세에 있다. 2009년에는 덴마크, 영국, 독일, 스웨덴, 중국 등에서 454메가와트 신규 해상 풍력발전기를 건설하였지만, 이는 세계 총 풍력설비 용량의 1.2%에 불과할 정도로 아직은 미미한 수준이다. [56]

다) 바레인 국제무역센터

신재생에너지 기술을 건축물에 효과적으로 적용함으로써 보급을 확대시키기 위한 시도가 계속되고 있다. 특히 고층 건축물은 단순히 높이의 랜드마크(landmark) 경쟁에서 벗어나 환경 친화적이라는 상징성까지 제공해야 한다는 패러다임이 확산되고 있다. 아울러 발전 시스템이라는 기능성 외에도 건물과 조화롭게 일체화시키는 BI(Building Integrated) 즉, 건물 일체화가 새로운 기술 분야로 떠오르게 되었다.

풍력발전기가 설치된 바레인 국제무역센터는 단순히 상징성뿐만 아니라 초고층 빌딩에서 요구하는 엄청난 전력사용량을 일부라도 자급하기 위한 실용적인 대안으로서의 가능성을 보여준 사례로 CTBUH(Council on Tall Buildings and Urban Habitats)로부터 최고의 고층건물 중 하나로 선정되었다. 국제무역센터는 높이 240m의 대칭을 이루되 각도를 갖는 직각 삼각형 두 동의 건물 사이의 상, 중, 하측에 세 개의 다리

56) 참조 : 한국풍력산업협회

가 두 동을 연결하며, 각각의 다리 중간에 블레이드 지름이 29m인 225kW급 수평축 풍력발전기를 설치하였다. 해안에 위치한 국제무역센터는 해풍이 불어올 경우 바람이 건물 사이 중앙부로 수렴되어 가속되는 벤츄리(Venturi effect) 효과를 나타내도록 형상설계가 되어 있으며, 총 설비용량 675kW로부터 연간 1.3GWh의 전력을 생산함으로써 연간 전력사용량의 13%를 자급할 수 있다.

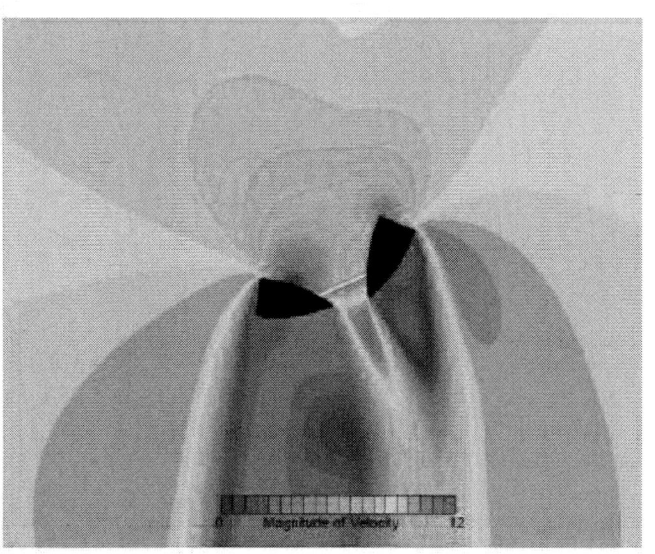

바레인 국제무역센터 전경(좌) 및 건물배치에 의한 벤츄리 효과(우)

라) 광저우 펄리버 타워

2010년 중국 광저우에 건설된 펄 리버 타워(Pearl River Tower)는 건물 내부 공간에 풍력 발전기를 설치하는 새로운 개념을 도입하였다. 건축설계회사인 SOM이 설계한 펄 리버 타워는 71층, 309m 높이이며, <그림 17>의 개념도와 같이 건물 중앙 상, 하단에 건물을 관통하는 총 4개의 노즐형태 수평유로를 설치하여 유입풍속을 가속시켜 풍력발전에 유리한 풍환경을 만드는 아이디어가 적용되었다. 펄 리버 타워는 BIWT 개념보다는 BIPV(Building Integrated Solar Power)의 개념을 위주로 설계되어 건물 전력사용량의 5%를 재생에너지로 공급하며, 2013년 MIPIM Asia로부터 최우수 혁신적 그린빌딩(Best Innovative Green Building) 선정된 바 있다.

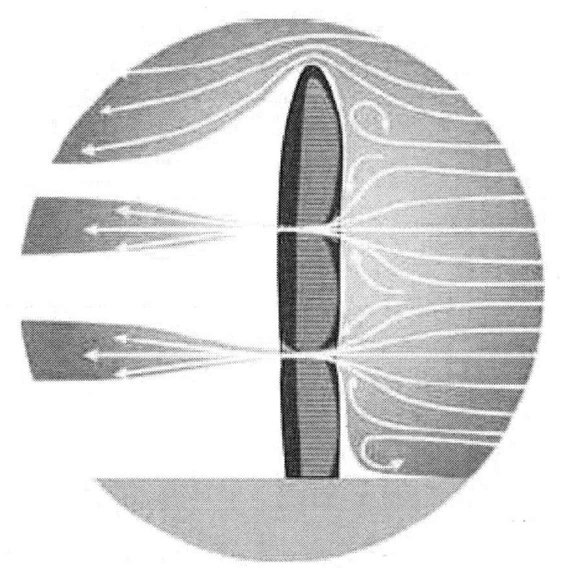

자료: https://www.som.com/project/pearl-river-tower

광저우 펄리버 타워 전경(좌) 및 건물 내부 유로에 의한 풍속가속 효과(우)

마) 오클라호마 의학연구재단

오클라호마 의학연구재단(Oklahoma Medical Research Foundation)은 42m 높이의 건물 옥상부에 2열로 6m 높이의 헬리컬 모양의 수직축 풍력발전기 총 18기를 설치하였으며, 이를 통해 연간 85.5MWh의 전력을 생산하여 건물 전력사용량의 36%를 충당하도록 설계되었다.

자료: http://omrf.org/2012/06/19/omrf-unveils-rooftop-wind-farm/

오클라호마 의학연재단 전경(좌) 및 옥상에 설치된 수직축 풍력터빈(우)

나. 풍력발전 응용분야

풍력발전은 여러 가지 이점을 가지고 있지만, 발전의 간헐성을 최대한 극복하기 위한 기술개발이 적극적으로 진행되고 있는 상황이다. 즉 타 에너지원과 융복합하여 간헐성을 최소화 할 수 있는 것이다. 본장에서는 풍력발전기를 활용한 응용 기술 및 타 에너지원을 활용한 융복합 발전 기술을 알아보고자 한다.

1) 풍력 태양광 가로등

풍력과 태양광으로 생산된 전기를 축전지에 저장하여놓고, 야간에 가로등 전력으로 사용하는 융복합 기술이다. 이는 전력 케이블 매선 및 배선이 어려운 지형에 사용될 수 있다. 해안가나 산 정상, 농지 같은 원격지가 적절하다고 하겠다. 뿐만 아니라 산책로 공원 등 도시 미학적인 공간에도 미학적인 요소로써 사용될 수 있다.

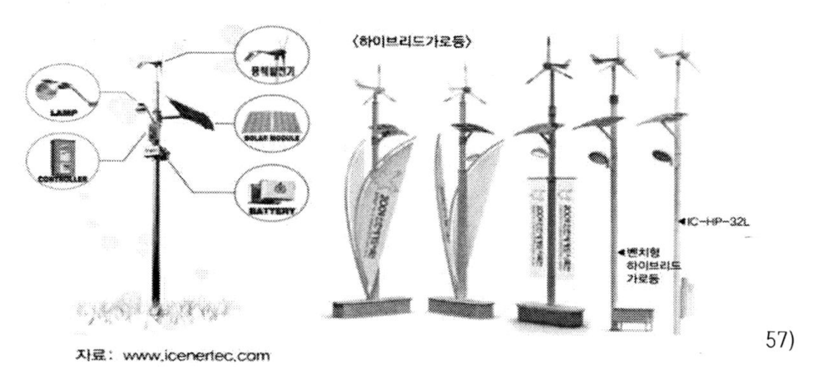

57)

그림 18 풍력·태양광 가로등

2) 풍력 태양광 레저보트

풍력.태양광 레저보트는 군산대학교에서 개발하였다. 원격 풍력 세일(sail) 돛 제어장치를 이용한 중형급 태양광 레저보트는 선박의 추진동력을 풍력 세일 돛으로 담당하고, 그 외에 사용되는 전기 에너지 부분을 태양광에너지로 대체하여 선박 내에서 사용되는 전체 에너지 소비를 대폭 감소시킬 수 있다. 현재 태양광을 이용한 보트 또는 요트에 보조 전원으로 소형 풍력발전기를 설치하는 경우는 있지만 제안된 아이디어와 같이 풍력과 태양광 에너지를 동시에 사용하는 보트가 개발된다면, 경제적 효용성도 매우 높을 것으로 기대된다.

57) 출처 : www.jcenertec.com

[58]

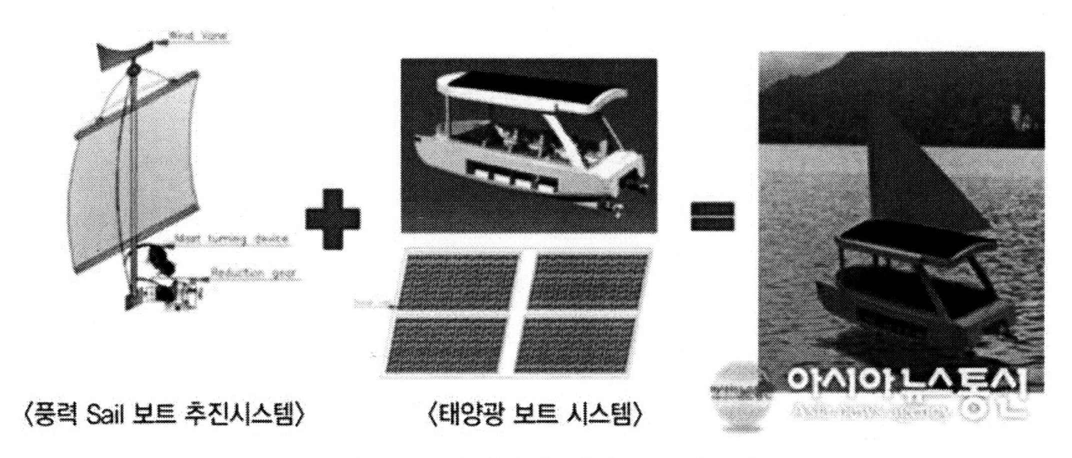

그림 19 풍력·태양광 레저보트 시스템

3) 풍력발전·플라이휠 에너지저장기술

플라이휠 에너지 저장 시스템은 잉여의 전기에너지를 기계적 회전에너지로 변환하여 에너지를 저장 하고 필요시 기계적 회전에너지를 전기에너지로 변환하여 공급하는 에너지저장 장치이다.[59] 기계적 에너지저장 장치인 플라이휠 에너지저장 장치는 에너지를 효율적으로 사용하기 위해 미국, 일본, 유럽 등 선진 각국에서 연구 및 개발이 활발히 진행 중인 환경 친화적인 에너지저장장치의 하나로, 잉여 및 소실에너지의 저장을 통한 에너지 절약효과, 무공해 에너지의 재생을 통한 환경 보호 효과가 타 에너지 저장 장치에 비해 월등히 뛰어난 시스템이다. 또한, 순간적인 충전과 방전이 가능하고 수명이 거의 반영구적인 장점이 있으며, 단위 무게 당 가장 큰 파워 성능을 갖고 있다.[60]

---

58) 출처 : 군산대학교 지역혁신인력양성사업단
59) 회생에너지 저장용 플라이휠 에너지 저장 장치 설계에 관한 연구, 2013, 이준호, 박찬배, 이병송
60) 풍력 융복합 발전 기술 동향, 한국에너지연구원

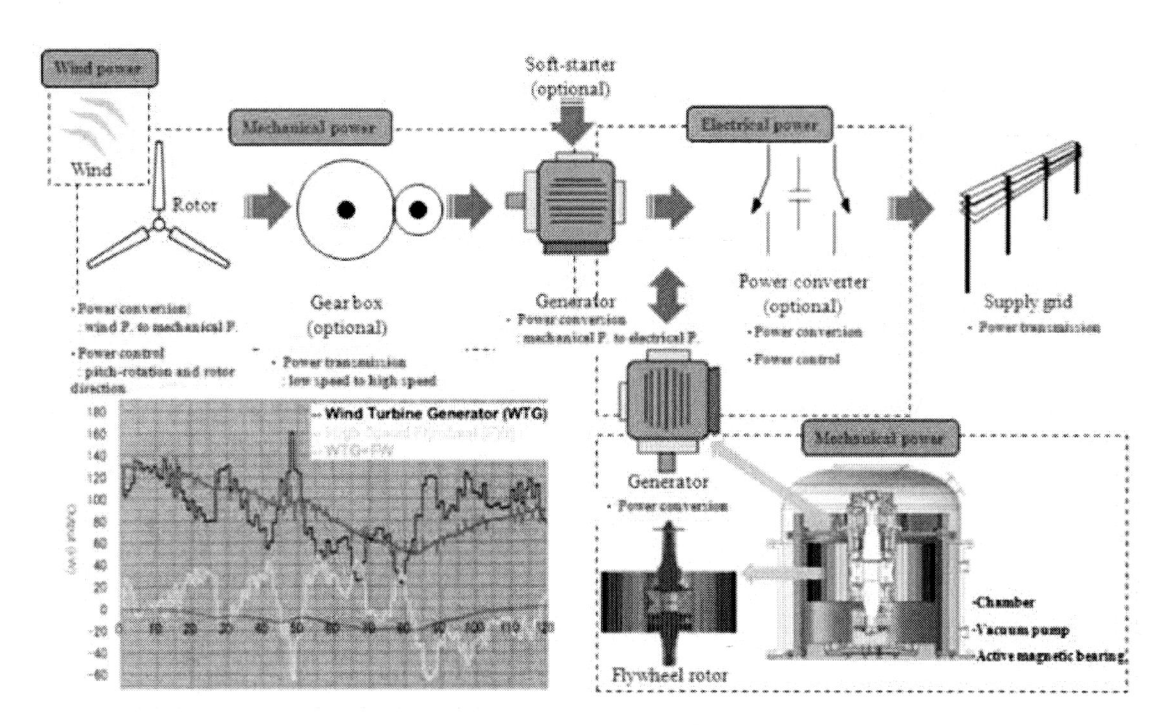

그림 20 풍력터빈과 플라이휠 에너지저장 장치 개념도

61)

61) 출처 : 한양대학교 융합기술사업화 산업협력단

4) 풍력-해수 담수화 기술

그림 21 풍력-해수담수화 플랜트

해수를 담수로 전환하는 기술은 물 부족 문제를 해결할 수 있는 가장 현실적인 대안이다. 중동과 북아프리카 지역(MENA)에서는 해수 담수화가 매우 중요한 식수원 및 농경수원이 되고 있다. 오늘날 세계 담수 처리수는 약 6,520만 m^3/일 (240억 m^3/년)[62]에 달하는데, 이는 세계 물 공급량의 약0.6%에 해당한다. MENA지역은 세계 담수화 용량의 약 38%를 차지하고 있으며, 그중 사우디아라비아는 세계 최대 담수 생산국이다.[63] 무한 자원인 해수에서 염분 등 각종 불순물을 제거해 사람이 마실 수 있을 정도의 깨끗한 물로 만들기 위해서는 상당한 에너지가 투입되어야 하는데, 담수가 부족한 도서에서는 전력 수급이 어려운 반면 풍력자원이 우수하므로 에너지원으로 풍력발전을 활용할 수 있다. 한국에너지기술원에서는 물 부족지역과 전력망 연결이 어려운 고립지역을 위해 중소규모의 새로운 해수 담수화 모델로서 담수 1톤 생산에 12kWh 에너지가 소요되는 '고효율 무방류 풍력발전 연계 MVR해수담수화 파일롯 플랜트' 국내기술을 최초로 개발해 실증운전에 성공했다.

5) 풍력-태양광 복합발전

일본 도호쿠 공업대학에서 개발한 풍력-태양광 복합발전기는 지붕 설치형 태양광 패널과 함께 풍력터빈을 설치하는 방식이다. 지붕 설치형 태양광 패널은 경사각을 가지고 설치되므로 바람이 불 때 경사면을 타고 올라감에 따라 가속되어 지붕의 꼭대기 부분에서 최대 풍속 증가가 발생한다. 연구에 의하면 경사각이 20~40°인 경우

62) 출처 : 한국에너지기술연구원
63) 해외녹색기술정책 보고서, 2013, 한국환경산업기술원

지붕 꼭대기 부근에서 20~30% 정도 풍속 가속이 발생하였다. 태양광 패널은 지역 특성이나 겨울철의 태양 고도를 고려해 설치 각도를 결정하지만, 보통경사각은 30° 전후로 설치된다. 즉, 태양광 패널의 경사진 부분에서 풍속이 증가하는 영역이 형성된다. 풍속이 증가하는 위치에 수평축 풍력터빈을 설치하면 태양광 발전과 함께 풍력발전을 동시에 할 수 있다.

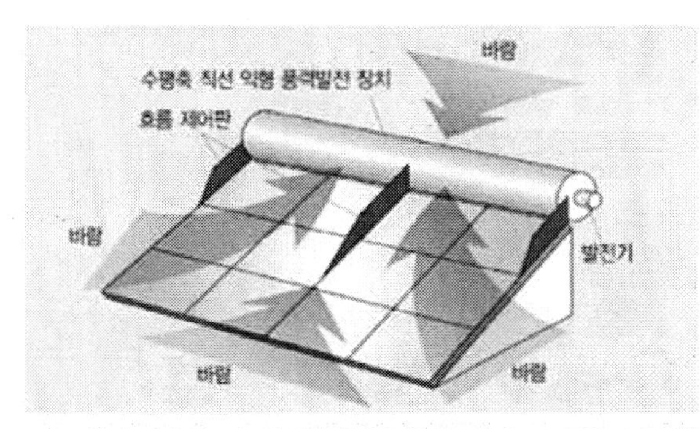

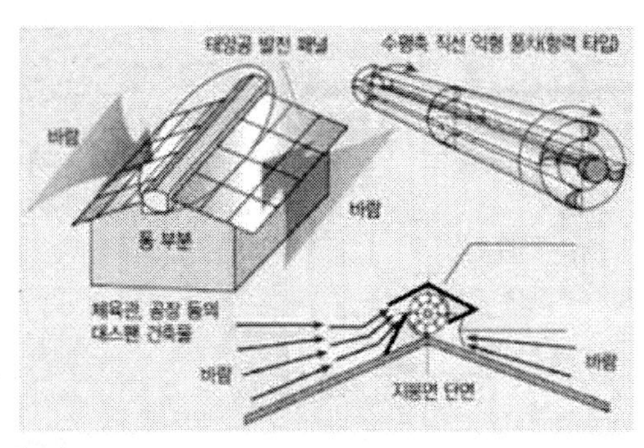

자료: 월간 전기기술, "풍력·태양광 하이브리드 발전 시스템", 2011

그림 22 풍력-태양광 복합발전시스템 개념도

64)

6) 풍력-조류 복합발전

불규칙한 해상풍력 발전의 출력을 안정적이고 규칙적인조류 발전과 병행하여 평상시 기저 발전은 조류 발전이 담당하고, 피크시의 전력 부하 충당은 해상풍력이 담당하게 하는 하이브리드 발전 시스템으로 모노파일식 해상풍력-조류 복합발전을 생각해 볼 수 있다. 해상풍력 건설비는 하부 구조물 비용이 25%에 달하므로 하나의 구조물에서 두 개의 발전시스템을 설치하게 되면 공사비 절감을 통한 경제성 향상이 가능하다. 지식경제부가 추진 중인 서남해안 2.5GW, 전남 4GW급 대규모 해상풍력 단지에 조류 발전을 복합적으로 개발한다면 풍부한 조류에너지를 활용할 수 있음은 물론, 해상풍력 단지의 효율성 향상을 통한 경제성 제고 및 복합발전의 기술 확보도 가능할 것으로 판단된다.[65] 영국의 Green Ocean Energy사가 개발한 Wave Treader는 해상 풍력발전과 파력발전을 결합시킨 복합발전시스템이다. Wave Treader는 500kW 발전용량을 가지며, 유리강화 플라스틱으로 제작된 20m 길이의 부유체 2개로 구성되어 있다. 이 부유체들은 50m 길이의 움직이는 빔(pivoting beams)에 의해 풍력터빈의 몸체에 연결된다. 부유체들이 파도에 의해 상하운동을 하면 부유체에 붙은 팔(arm)이 빔에 붙어 있는 유압 실린더를 구동시키고 이는 다

64) 출처 : 월간 전기기술 "풍력-태양광 하이브리드 발전 시스템"
65) 해양에너지 복합발전단지 개발의 필요성과 방안 제59권 제12호, 2011, 특허청 기술기사

시 발전기에 붙어 있는 유압 모터를 회전시켜 전기를 발생하게 된다. Wave Treader는 발전효율을 극대화하기 위하여 파도의 방향에 맞춰 회전하고 조석(潮汐)에 따른 수위변화에 따라 높이가 조절되도록 설계되었다. 외해(外海)에는 연안에 비해 파도가 더 강하므로 파력 발전기의 발전용량을 키울 수 있다. 또한 전력망과 발전시스템의 계류 장치를 풍력터빈과 공유하여 발전용량 당 투자비를 크게 낮출 수 있다. Wave Treader 시제품의 실 해역시험이 조만간 진행될 계획이다. 이밖에 영국 Wavegen사는 연안 고정식 파력발전과 풍력발전 장치를 조합하여 3.5mW급(WSOP3500) 발전장치를 제안하였으며, 일본은 초대형 해양구조물 상부에 태양광 및 풍력발전, 수면에서는 파력발전, 수면 아래에서는 조류발전을 수행하는 복합발전 방식을 [66]제안하였다. 덴마크역시 고정식 해상 풍력터빈에 파력발전을 추가한 포세이돈 복합발전시스템을 제안하였다. 한편 영국의 Energyisland사는 해상 풍력발전과 파력발전 외에도 해수 온도차 발전, 태양광 발전 등 해양에서 이용 가능한 신재생에너지를 결합시켜 상호 보완함으로써 에너지 전환효율을 극대화시킨 개념의 대규모 부유식 플랫폼 Energy Island를 제안하였으나 아직까지 구상단계에 머물러 있다. [67]

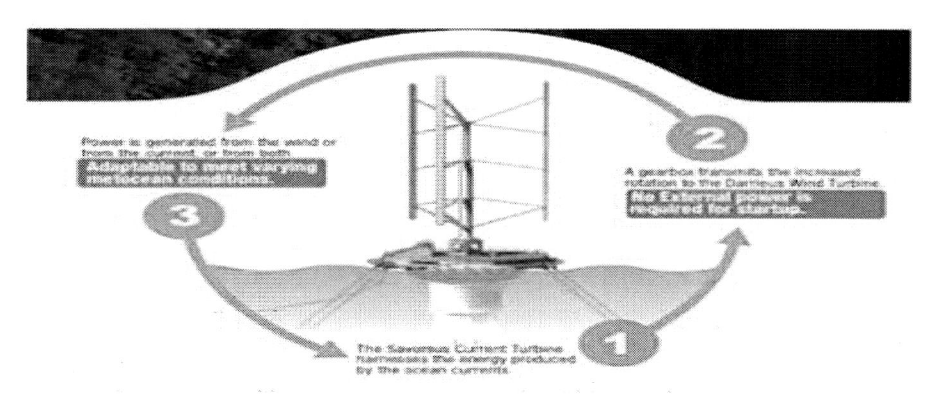

그림 24 풍력.조류 복합발전기 디자인

7) 천연가스-풍력-태양열 복합발전

하이브리드 발전소(Hybrid Plant)는 신재생 에너지를 그리드에 추가하기 위한 가장 경제적이면서 편리한 방안이 될 것으로 보인다. 최근 GE는 천연가스와 함께 풍력 및 태양열을 통합하는 첫 번째 발전소에 대해 발표하였다.

66) 출처 : http://www.power-technology.com
67) 풍력 융복합발전 기술동향, 녹색정보기술포털

GE에 따르면 이러한 하이브리드 발전소는 전 세계 일부 지역에 건설되는 새로운 발전소의 유력한 표준 모델이 될 것이라고 밝혔다. 새로운 기술은 50 헤르츠를 사용하는 국가들을 대상으로 하고 있다. 특히 중국과 유럽연합의 신재생 에너지 목표를 충족하는 데 보다 수월한 방안으로 활용될 것으로 보인다.

태양열발전과 천연가스 터빈을 조합하는 것이 새로운 일은 아니더라도 여기에 풍력발전을 포함하는 시스템은 새로운 것이라고 GE는 말했다. 풍력과 천연가스를 결합하는 것은 풍력발전 비용의 일부를 저감하는데 도움이 된다. 풍력단지는 일부 천연가스 발전소의 제어 시스템과 그리드 연결 부분을 공유할 수 있다. 또한, 천연가스 발전소는 풍력터빈에서 발생할 수 있는 다양한 변수를 제거하는데 도움이 된다.

태양열발전은 태양광을 집중시킬 수 있는 반사경 어레이(Array of Mirrors)를 사용하여 열을 수집한 후 이를 활용하여 스팀을 생산한다. 이 스팀은 천연가스 복합발전소의 스팀 터빈에 공급되어 발전 출력을 증가시킬 수 있다. eSolar가 개발한 태양 집열기 어레이(Solar Concentrator Array)는 두 가지 면에서 비용 절감에 도움을 준다. 모듈식으로 되어 있는 집열기 시스템은 설치가 쉽고 발전 형태에 따라 손쉽게 변경이 가능하다.

또한 과거 태양열 시스템 대비 더 높은 온도의 스팀을 생산할 수 있어 출력을 증가시킬 수 있다. 그리고 GE는 태양발전에서 얻어지는 전기 생산의 변동성을 쉽게 보완하도록 빠르게 전기를 공급할 수 있는 고효율 천연가스 발전소를 개발하였다.[68]

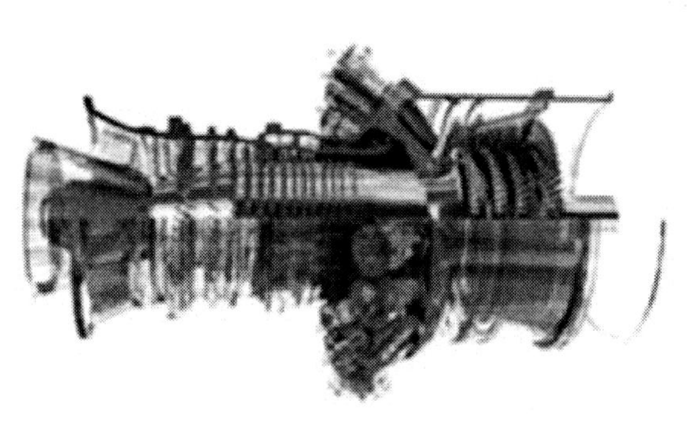

그림 25 풍력-태양-천연가스 발전소 개념도(좌) 및 출력 변동성 추종 가스터빈(우)

68) MIT Technology review 2011.06.07 <GE Combines Natural Gas, Wind, and Solar>

8) 풍력-열에너지 변환기술

스마트폰, 데스크톱 컴퓨터, 노트북 등으로 유명한 미국의 애플사는 풍력에너지를 열에너지로 변환하는 새로운 개념을 제시하였다. 애플사가 출원한 특허에 따르면, 하나 이상의 패들과 연결된 축을 휘발성 유체가 들어 있는 드럼 내에 설치한다. 그리고 풍력터빈은 바람의 힘을 받아 연결된 축을 회전시킨다. 그렇게 되면 축에 연결된 패들은 저열용량 유체를 교반, 순환 및 가열시킨다. 즉, 풍력터빈에 의해 만들어진 회전에너지를 저열용량 유체의 열에너지로 전환하는 것이다. 이 열에너지는 작동유체에 전달 되며, 이 열을 이용하여 전기를 생산할 수 있다. 전달된 열은 작동유체의 낮은 끓는점으로 인하여 유체를 끓일 수 있으며, 이 때 발생하는 증기를 이용하여 터빈을 가동할 수 있다. 터빈은 전기 발전기를 구동하고 발전기에서 얻어지는 전기는 자동차, 가정, 사무실, 건물 및 전력 그리드에 공급된다. 저열용량 유체에 저장된 에너지가 전기 수요를 충족시킬 필요가 없어지게 되면 전달된 열에서 전기를 발생시키는 것뿐만 아니라 저열용량을 가진 유체에서 작동유체로 열을 전달하는 과정이 중단된다. 이러한 온 디멘드(on-demand) 방식의 발전시스템이 풍력발전의 변동성을 상쇄하여 계통 운영 비용을 절감할 수 있으며, 배터리를 이용하는 일반적인 에너지 저장기술을 대체할 수 있다.

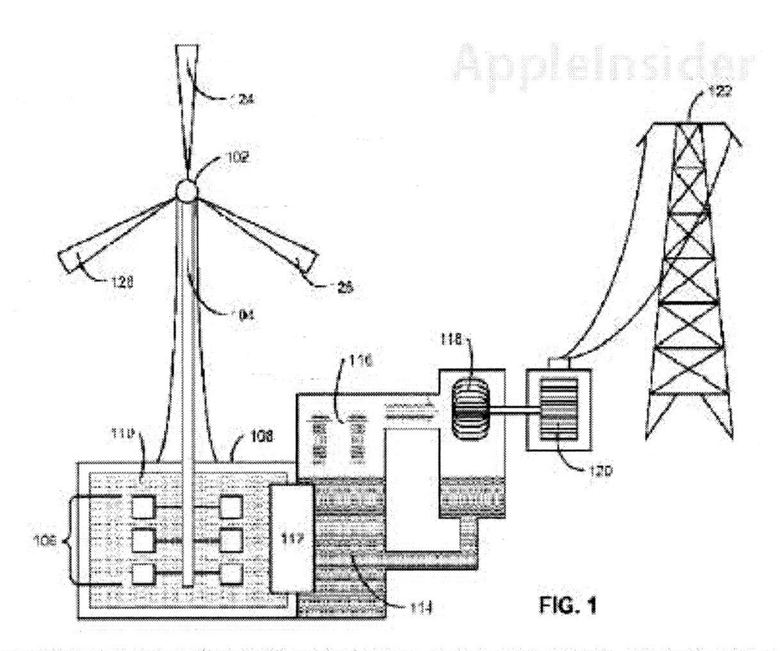

자료: http://cleantechnica.com/2013/01/05/apple-designs-a-wind-energy-storage-concept

애플사의 풍력-열에너지 변환시스템 개념도

5

풍력발전 전망 및 향후 과제

5. 풍력발전 전망 및 향후 과제

가. 풍력 산업 전망[69)70)]

2019년 기준 651GW에 불과했던 풍력 설치량은 2040년 2,033GW까지 늘어날 전망이다. 신재생에너지 중 가장 가격경쟁력이 높은 풍력발전에 대한 수요가 꾸준히 증가할 것으로 예상되는데, 2040년까지 세계 풍력시장은 약 2.8조 달러 규모를 형성할 것으로 예상되며, 중국 및 인도 등 아시아 지역이 세계 풍력수요의 절반 이상을 차지할 전망이다.

특히 세계 재생에너지 시장에서 '해상풍력'이 다크호스로 떠오르고 있다. 지난 10년간 전 세계 풍력발전 누적 설치용량은 2010년 198GW에서 2019년 651GW로 증가해 연평균 14.7% 성장했는데 해상풍력은 3GW에서 29GW로 연평균이 증가율이 28.1%에 달한다. 과거에는 대부분이 육상풍력이었으나 최근 들어 해상풍력의 비중이 점점 증가하는 상황이다. 2040년까지 해상풍력에 대한 예상 누적투자액은 약 1조달러(약 1155조원) 규모로 관련 시장을 선점하기 위한 각국의 치열한 경쟁이 펼쳐질 전망이다. '세계에너지전망 2019' 보고서는 세계 해상풍력 시장 규모가 2040년까지 매년 13%씩 확대될 것으로 전망했다. 세계 전력 공급 3% 이상을 차지하는 핵심 재생에너지원으로 자리매김 할 거란 분석이다. 세계 해상풍력 설비 용량은 2010년 3GW에서 매년 30%씩 늘어나 2018년 23GW를 기록했다. 같은 기간 120GW 용량을 갖춘 태양광과 비교하면 걸음마 수준이지만, 성장 가능성에 더욱 무게가 실리는 분야다. 향후 5년 내 약 150개 신규 프로젝트가 완료될 예정이어서 해상풍력 산업에 대한 기대가 커지고 있다. 해상풍력발전은 풍황 자원의 품질이 육지에 비해 나은 바다에 풍력터빈을 설치함으로써 더 많은 발전량을 얻을 수 있고, 인구가 밀집되어 있는 해안지역 인근에 GW급의 발전설비를 설치할 수 있다는 장점이 있 다. 해상풍력은 전 세계적으로 아직까지는 새로운 재생에너지 분야로 인식되고 있으며 각국 정부의 정책적 지원과 재정적 인센티브 부여 등을 통해 성장 가능성이 커지고 있다.

이에 해상풍력발전 시장은 향후 30년간 크게 성장해 전 세계 누적 설치용량이 2030년 228GW, 2050년 1,000GW에 달할 것으로 전망된다. 이는 향후 30년간 연평균 11.5%씩 성장함을 의미한다. 해상풍력은 2050년 전 세계 풍력 누적 설치용량

69) '해상풍력'이 뜬다...2040년까지 매년 13% 성장 전망, 전자신문, 2020.01.14
70) 해상풍력발전 현황 및 전망, 전기저널, 2020.11.16

(6,044GW)의 약 17%를 차지할 것으로 예상된다. 현재 국가별 해상풍력의 누적 설치용량은 영국 9,945MW, 독일 7,507MW, 중국 5,930MW, 덴마크 1,701MW, 벨기에 1,556MW 순으로 유럽과 중국이 선도하고 있다.

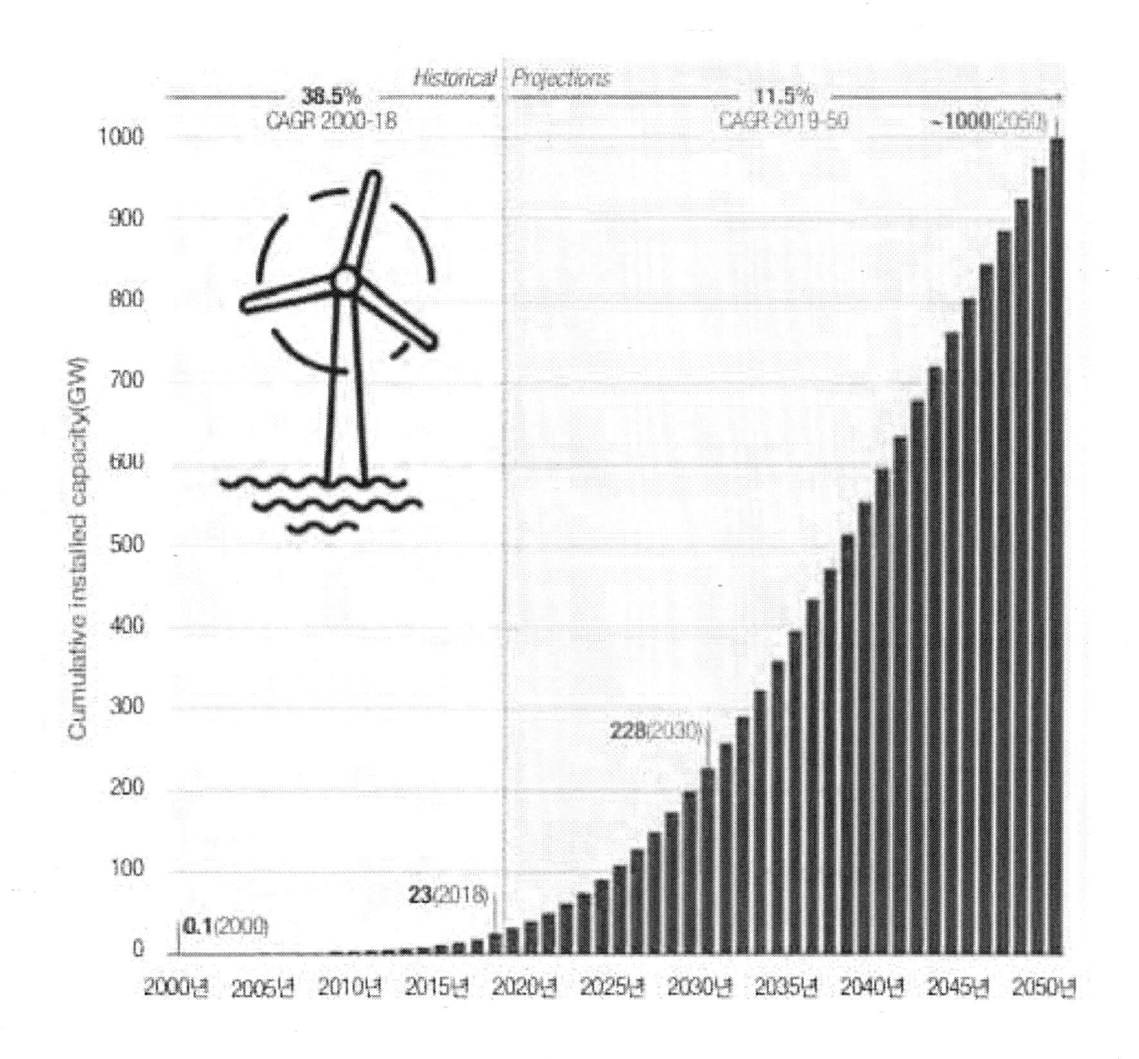

| 전 세계 해상풍력 설치용량 전망

• 자료 : IRENA, Future of wind, 2019년

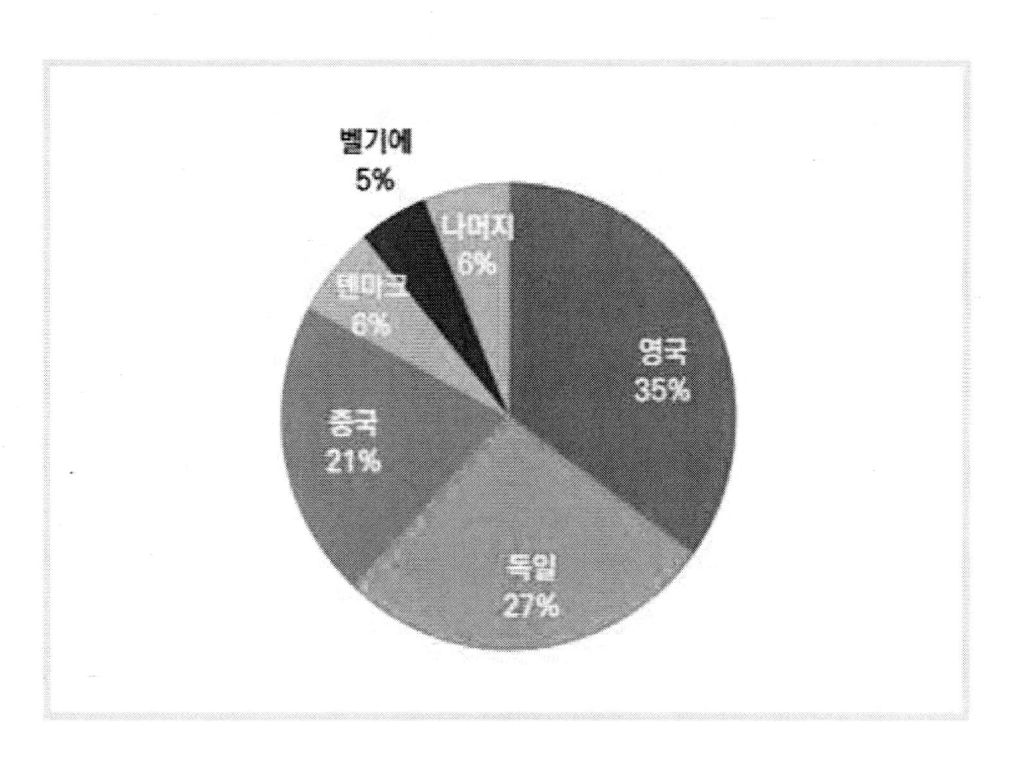

| 국가별 해상풍력 누적 설치용량 비중

향후 전 세계 해상풍력의 가중평균 LCOE(균등화발전 비용)는 2030년 $0.05/kWh에서 $0.09/kWh, 2050년 $0.03/kWh에서 $0.07/kWh 범위일 것으로 전망된다. 이런 수준의 LCOE가 된다면 커다란 재정적 지원이 없더라도 해상풍력이 화석연료를 활용한 발전과 대등하게 경쟁할 수 있을 것으로 보인다.

해상풍력에 대한 전 세계 투자비는 2016년 역대 최고치인 276억 달러에 달했다가 2017년에 189억 달러로 줄었으나 2018년에 194억 달러로 다시 증가했다. 2018년 전 세계 해상풍력 투자비의 절반 정도는 중국에서 13개 해상풍력 단지 조성에 투자한 것이다. 전 세계적으로 향후 30년간 해상풍력에 대한 투자비 규모는 크게 증가해 2050년까지 누적 투자비가 2조 7,500억 달러 이상의 규모가 될 것으로 전망된다. 연간으로 보면 전 세계 연 평균 해상풍력 투자비는 2030년까지 현재보다 3배 이상 증가(연 610억 달러)하고 2031년부터 2050년까지는 5배 정도 증가(연 1,000억 달러)할 것이다. 투자비 대부분은 신규 설비 설치에 소요될 것으로 보이지만 2030년 이후에는 기존 노후설비를 교체하는 데에도 투자비가 일부 소요될 것으로 보인다. 2040년 이후에는 1/3 가량의 투자비가 노후 설비를 교체하는데 소요될 것으로 보인다.

또한 터빈 용량의 대형화 추세도 지속될 것으로 전망된다. 산업계에서는 2030년까지 15MW 용량의 대형 터빈을 개발하려는 계획을 가지고 있으며 더 나아가 20MW 규모의 해상풍력 터빈까지도 개발이 예상된다. 이러한 대형 터빈의 MW당 CAPEX(설비비용)는 높을 것이나 발전효율이 높아 발전량이 많아지고 기초구조물이나 설치에 소요되는 비용은 줄어 들기 때문에 LCOE는 낮아질 것이다. 신뢰성 향상 및 유지보수 용이성 증대로 인해 OPEX(운영비용) 또한 낮아질 것으로 예상되어 LCOE 저감에 긍정적인 영향을 미칠 것이다. 해상풍력 단지에 동일한 총 용량을 설치하더라도 터빈 용량의 대형화로 설치되는 터빈의 개수가 줄어들면 유지보수를 위한 현장방문 횟수가 줄어들고 보건안전 개선, 기초구조물 감소, 환경영향 축소 등의 긍정적인 영향이 있다.

국내에서도 지난 2020년 7월 정부는 '주민과 함께하고 수산업과 상생하는 해상풍력 발전방안'을 발표했다. 해상풍력 발전방안은 2030년 해상풍력 세계 5대 강국으로 도약한다는 목표 하에 수립됐으며, ①정부·지자체 주도 입지 발굴 및 인허가 간소화 ②해상풍력에 적합한 지원시스템 마련을 통한 주민수용성 강화 ③해상풍력과 수산업 상생모델 마련·추진 ④대규모 프로젝트와 연계한 풍력산업 생태계 육성 등의 대책이 포함돼 있다. 해상풍력발전 사업은 기본적으로 사업의 규모가 크고 다양한 이해관계자가 존재하며 제도·기술·금융 등이 체계적으로 뒷받침돼야 한다. 과거 해상풍력 사업을 활성화하려다 제대로 된 후속 지원이 부족해 기업들이 사업을 철수하는 등의 어려움을 겪은 사례를 반면교사로 삼아 이번에는 대책을 마련하는데 그치지 않고 실행에 만전을 기할 계획이다. 이에 2030년까지 해상풍력 12GW 설치 목표를 달성해 연간 8만 7,000개의 일자리를 창출하고 지역사회 및 주민과 발전수익 공유로 지역발전에도 기여하기를 기대한다.

나. 풍력산업 향후 과제[71]

2020년 5월 초 제9차 전력수급기본계획 초안이 발표됐다. 주요 내용은 2034년까지 신재생에너지 발전 비중을 40%대까지 높인다는 거다. 그러자 태양광에 가려 큰 주목을 받지 못했던 풍력(특히 해상풍력) 발전이 주목을 받고 있다. 태양광만으로는 신재생에너지 발전 비중을 높이기 어려워서다. 발전 단가가 많이 떨어졌다는 것도 장점이다. 이처럼 풍력 발전은 신재생 에너지 중 현재까지 가장 경쟁력이 높은 것으로 판단되고 있지만, 풀어야할 과제도 적지 않다. 기술 개발을 통해 원가를 낮추는 노력은 물론이고 정부의 보조 정책, 소음에 의한 주민과의 갈등조정 등이 필요하다.

■ 풍력 발전 시장의 성장 가능성

1. 선진국들의 탄소배출량 억제정책
2. 정부의 신재생에너지 발전 확대정책
3. 무분별한 설치 등 태양광 문제점 부각
4. 풍력의 균등화발전비용 하락 추세
5. 시장의 긍정적인 풍력 발전 성장성 평가

실제로 풍력 발전은 긍정적인 요인이 많다. 먼저 풍력 발전의 균등화발전비용(LCOE)[72]이 낮아지고 있다. 대략 2025년이면 해상풍력 발전의 LCOE가 현재 태양광 발전 LCOE(1MWh당 50달러 이하)와 비슷한 수준(1MWh당 60달러 내외)으로 떨어질 가능성이 높다. 한편에선 '이미 태양광 발전 LCOE와 비슷한 50달러 수준을 밑돈다'는 주장도 나온다. 국내 풍력 발전 시장의 성장이 예상되는 것도 이런 이유에서다. 지난해 국제에너지기구(IEA)는 세계 해상풍력 시장 규모가 2040년까지 매년

---

71) 풍력발전 빛과 그림자, 시장 바람만큼 바람 거세려나, 더스쿠프, 2020.06.05

72) LCOE는 발전에 필요한 총비용(사회·환경적 부담 모두 반영)을 전체 발전량으로 나눈 값. LCOE가 낮을수록 경제성이 높다는 의미

13%씩 성장할 것으로 전망했다. 선진국들이 탄소배출량 줄이기에 적극적이기 때문인데, 국내 시장 분위기도 이를 따라갈 가능성이 매우 높다.

그렇다고 장밋빛 전망만 나오는 건 아니다. 무엇보다 저유가 상황이 변수다. 일반적으로 유가가 낮으면 신재생에너지의 입지는 좁아진다. 경제성에서 밀리기 때문이다. 물론 정부가 정책적으로 신재생에너지를 밀겠다는 의지가 강하다는 점은 긍정적이다. 하지만 코로나19에 따른 재정 지출이 크다는 점을 감안할 때 정책 추진이 얼마나 탄력을 받을지는 두고 볼 일이다.

또한 아직까지 신재생 에너지 생산 가격이 석탄이나 원자력 발전 단가보다 높기 때문에 정부의 보조금이 있어야 경쟁력을 유지할 수 있다. 2015년 상반기 설치 완료된 육상풍력발전 용량은 총 136.95mW로 2014년 대비 네 배에 이르지만 계통한계가격이 계속 하락할 것으로 전망돼 투자자금 회수기간이 그만큼 길어질 염려가 커지고 있다. 전력거래소는 기저부하인 원전과 석탄 화력발전소에서 생산한 전력 중 가장 싼 것부터 비싼 순으로 사들인다. 보통 석탄 화력발전 전력 가격이 계통한계가격(SMP)으로 결정되는데, 이 가격은 나머지 가스발전과 신재생에너지발전 전력구매가격이 된다. 이러한 현상은 6차 국가에너지기본계획에서 석탄 화력과 복합발전이 많이 지어지는 바람에 설비예비율이 목표치를 훌쩍 넘은 이후 심화됐다. 문제는 계통한계가격이 장기적으로 계속 떨어질 것으로 전망돼 풍력 발전의 수익률 하락이 예고돼 있다는 점이다. 한국개발연구원(KDI)은 계통한계가격이 2016년 97.68원, 2020년 80.81원, 2024년 69.41원으로 지속적으로 떨어질 것으로 전망했다. 석탄화력 발전 단가와 신재생 에너지 발전단가의 차액을 보전하기 위해 50만 kW 이상 발전사는 신재생 에너지 생산 업체와 장기 전력공급계약을 맺어 신재생에너지공급의무제도 상 공급인증서를 발급받도록 하고 있다. 문제는 이 공급인증서 가격 역시 하락할 전망이라는 점이다. 전력연구원은 공급인증서 가격이 1REC당 8만 원대로 추락할 것으로 보고 있다. 사정이 이렇게 되면 풍력발전사업자들은 신규 사업을 주저할 수밖에 없다. 풍력업계는 경제성을 확보하기 위해 가중치를 높이고 계통 비용 분담을 요구하는 등의 제도 개선을 요구하고 나섰다. 풍력산업협회는 한전 송배전 이용규정을 개정해 발전사업자 외에도 송배전 사업자(=한전)도 계통비용을 부담, 공급인증서에 붙는 가중치를 3.0으로 상향조정, 저탄소 설비가 경제성을 갖도록 지원하는 방안을 건의 중이다.[73]

73) 참조 : 에너지경제신문 2015.09.09 <풍력, 올해 설비증설 '대박' , SMP 하락 전망 '울상'>

또 다른 문제도 있다. 해상풍력 발전 시장이 더 성장하려면 일정 수준의 발전량이 나올 만한 지역을 찾아야 하는데, 말처럼 쉽지 않다. 부유식 해상풍력 발전 설비를 운영하는 한 업체 관계자는 “막연히 ‘3면이 바다’라서 해상풍력 발전이 잘될 거라 생각하면 큰 오산”이라면서 “해상풍력 발전이 적절한 지역은 그리 많지 않기 때문에 경제성을 잘 따져봐야 한다”고 지적했다. 그는 “경제성 검토를 제대로 하지 못하면 돈만 낭비하는 상황이 벌어질 수도 있다”고 말했다. 여기에 풍력발전은 환경적인 측면에서 소음이나 경관의 손상 등의 문제를 유발할 가능성이 있다는 지적도 있다. 그러나 풍력발전기의 소음은 기술의 발달로 이제는 크게 신경 쓰지 않아도 될 수준이 되었다. 주택가 바로 옆에서 규모가 작은 풍력발전기의 날개가 바람이 불 때마다 빠르게 돌아간다면 소음이 약간 문제될 수가 있다. 그러나 요즈음 생산되는 발전기는 날개 지름이 수십 미터에다 높이도 백 미터에 달하는 것들로서 주택가로부터 멀리 떨어진 넓은 들판이나 밭 한가운데에 세워지기 때문에, 소음 피해를 주는 경우는 거의 없다. 게다가 날개가 커지면 돌아가는 속도도 느려지고 바람을 가르는 소리도 약해진다. 그렇기 때문에 이러한 대형 풍력발전기의 경우는 가까이 다가가도 시끄럽게 돌아가는 소리는 전혀 들리지 않는다.

풍력발전기가 시각에 따라서는 자연경관을 변형하는 것으로 보일 수도 있다. 환경보존 주의자들은 풍력 발전 시설도 다른 발전시설과 마찬가지로 환경을 파괴하는 것으로 보기도 한다. 그러나 풍력발전기가 가져오는 손상은 화력발전소나 원자력발전소의 건설로 파괴되는 것과 비교하면 결코 심한 것이 아니다. 이들 발전소는 땅을 뒤엎고 그 위의 자연을 모조리 없앰으로써 환경을 손상하고 자연경관을 완전히 바꾸어버린다. 화력발전소는 많은 양의 온실기체와 오염물질을 방출하고 원자력발전소는 끊임없이 핵폐기물을 내놓는다. 반면에 풍력발전기 몇 대를 밭 가운데나 언덕 위의 좁은 땅 위에 세울 경우 이로 인해 파괴되는 것은 거의 없다. 풍력발전기가 세워지면 나무 몇 그루 정도만 손상을 입을 뿐이다.

풍력발전을 비판하는 사람들은 풍력으로 필요한 전기를 얻어 쓰려면 우리나라 땅 전체에 풍력발전기를 세워야 할 것이라고 주장한다. 풍력단지를 조성해서 전기를 생산할 때 단지의 면적 전체를 계산하면 그런 주장도 나올 수 있다. 그러나 단지 안의 땅은 쓸모없는 땅이 되는 것이 아니다. 그 땅 위에다 얼마든지 가축을 방목하거나 작물을 재배할 수 있다. 풍력발전기를 서너 개만 세울 때는 밭이나 논 가운데에도 세울 수 있다. 농사짓는 땅은 그대로 두고 그 중에서 약간의 면적만을 풍력발전기가 차지하는 것이다. 그러므로 풍력발전을 하기 위해서는 아주 넓은 땅이 필요하다는

주장은 터무니없이 과정된 것이다.

풍력발전기가 새들의 이동을 방해하는 일은 대형 풍력발전기가 철새 이동로에 대단위로 들어선 경우에 일어날 수도 있다. 그러나 그렇지 않은 지형에 들어선 풍력단지는 규모가 크더라도 새들의 비행에 아무런 걸림돌도 되지 않는다. 한두 개 세워져 있는 경우는 대다수의 풍력발전기가 새들에게 조금도 장애물로 작용하지 않았다. 조사에 의하면 풍력발전기 날개가 움직이기 때문에 새들이 발전기를 피하게 된다고 한다. 오히려 정지해 있는 대형 건물이 새들에게는 더 큰 장애물로 작용한다는 것이 밝혀졌다. 해마다 매우 많은 수의 새가 대형 건물에 부딪쳐서 죽는다는 것은 이미 잘 알려진 사실이다. 풍력발전기가 경관을 해친다는 주장은 송전탑과 비교하면 너무 과장이라는 것을 알 수 있다. 송전탑이야말로 숲을 해치고 경관을 크게 해친다. 이것에 비하면 적당하게 들어선 풍력발전기는 경관을 보기 좋게 만드는 데 기여한다고까지 말할 수 있다.[74)]

하지만 풍력발전기에 의한 소음 피해 등을 주장하는 주민들의 반대 여론도 많다. 풍력 발전기 주변 주민들은 소음과 진동, 저주파 등의 보이지 않는 피해를 주장한다. 실제로 전라남도는 2015년 2월 공무원과 의학전문가 등 25명을 투입해 풍력발전시설 피해를 호소하는 영암군과 신안군 주민 399명을 대상으로 설문조사와 현장 확인 등의 방법으로 건강실태조사를 조사했다. 이 조사 결과 보고서는 "풍력발전시설 인근 지역 주민은 수면장애, 이명, 어지럼증 등을 호소하고 있다"며 "풍력발전시설로 인한 소음에 대해 가까이 있는 사람뿐 아니라 멀리 떨어져 있는 사람도 소음 불편을 느끼고 있다"고 밝혔다. 풍력 발전에 대한 지역 주민들의 반대가 심해지자 지방자치단체들이 풍력 발전 사업을 불허하는 경우가 늘고 있다. 전남 장성군은 최근 태청산 일대 풍력발전단지 건립에 주민들이 반대하자 사업계획을 전면 백지화했다. 전라남도 신안군 자은면에 추진 중인 87mW 급 풍력발전 사업도 주민들이 반대하고 나서자 사업 자체가 난항을 겪고 있다.

풍력발전은 환경부의 '육상풍력 개발사업 환경성 평가 지침'에 따라 화력이나 원자력 발전소 못지않은 엄격한 규정을 적용하고 있다. 풍력발전을 앞서 도입한 유럽도 지역에 안착하는데 10년이나 걸렸다는 점을 감안해서 서두르기보다는 풍력과 환경에 대한 합리적인 역학조사가 선행되어야 하고 실정에 맞는 기준을 만들 필요가 있다. 풍력 발전은 지속가능한 에너지로서 의미가 있지만 주민의 건강권과 환경권을

74) 참조 : http://energyvision.org/37

침해하지 않는 범위 내에서 건설해야 하고 국가가 나서서 기반 시설을 만들어줘야 한다.[75)]

75) 참조 : 매일경제신문 2016.06.17 <친환경 에너지 풍력발전…약인가 독인가>

풍력에너지 산업 주요기업

6. 풍력에너지 산업 주요기업

가. 두산중공업 (034020)

시가총액	4조 2,709억
설립일	1962년 9월 20일
상장일	2000년 10월 25일
매출액	15조 6,596억 7,414만 (2019.12. IFRS 연결)

표 11 두산중공업 기업정보

1) 기업 현황과 전망[76]

두산중공업은 2006년 3mW급 풍력 발전 시스템인 WinDS 3000™ 개발에 착수한 바 있으며, 2011년 3월 국내 최대용량 제품으로 국내업체 최초로 국제 형식인증 (DEWI-OCC Type Certificate)을 취득하며 성공적으로 풍력 사업에 진출하였다.

30mW규모의 국내 최초 해상풍력단지 건설 외 국내외 다수 프로젝트에 공급을 추진하고 있으며, 2011년 말부터 저풍속에 맞는 3mW급 육해상용 풍력 발전 시제품을 출시하여 지속적으로 후속모델을 개발하고, 2012년 400억 원 규모의 영흥풍력 2단지 수주에 이어 2014년에는 300억 원 규모의 상명육상풍력 프로젝트 및 500억 원 규모의 전남육상풍력 프로젝트를 수주에 이어 2015년에는 1,200억 원 규모의 서남해 해상풍력 프로젝트를 계약하는 등 지속적으로 풍력 사업역량 강화를 추진해 나가고 있다.

두산중공업은 한국전력과 함께 해외 풍력발전 시장 공략에 나서기로 하고, '해외 풍력발전 사업에 대한 공동 개발, 건설과 운영 등 상호 협력을 위한 업무협약'을 체결했다. 한국전력공사는 이 협약을 통해 해외 풍력사업 공동 개발 추진 시, 두산중공업의 풍력발전설비를 적용할 수 있게 됐다. 또한 설계부터 제작•시공까지 일괄 수행하는 공사 방식인 EPC(Engineering, Procurement &Construction) 사업자로 두산중공업을 선정할 수 있게 된다. 한국전력공사는 국내 유일의 해외 풍력사업 개발자로서 국내 최초로 중동 요르단 암만에서 요르단전력공사(NEPCO)와 총 89.1mW 규모의 푸제이즈(Fujeij) 풍력 발전소 건설 운영에 대한 사업을 수주하는 등 해외풍력 사업에 대한 해외 네크워크와 역량을 보유하고 있다.

76) '탈원전 늪' 빠졌던 두산중공업…'그린뉴딜'로 웃나, 서울경제, 2020.07.20

두산중공업이 풍력 분야에서 '소리 없이 강한 기업'으로 불리는 이유는 그동안의 공급실적을 보면 알 수 있다. 두산중공업이 올해 상반기까지 풍력시스템을 공급한 실적은 계약체결 프로젝트를 포함해 총 207mW에 달한다. 3mW 풍력시스템 69기에 해당된다. 국내 기업 가운데 단연 돋보이는 성적이다.

육상풍력시스템(111mW)과 해상풍력시스템(96mW) 모두 고르게 실적을 올린 점도 눈에 띄는 부분이다. 특히 해상풍력 분야에서는 국내 기업 가운데 유일하게 운영 실적을 확보하고 있어 향후 수주경쟁에서 우위를 점할 것으로 예상된다. 두산중공업은 탐라해상풍력에 건설한 해상풍력시스템 10기 중 3기의 상업운전을 시작했고, 앞선 2012년 제주 월정리 앞바다에 실증용 해상풍력시스템 1기를 설치해 지금까지 운영 중이다. 77)

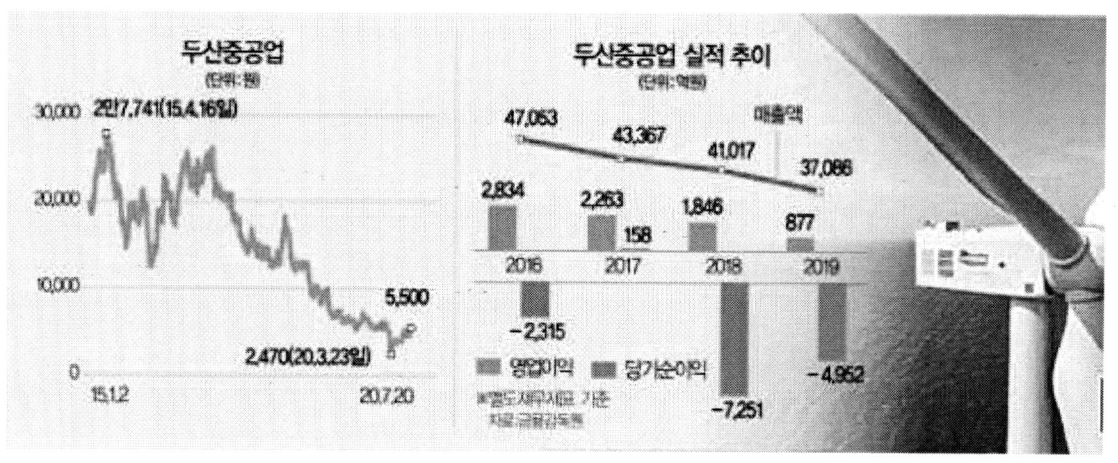

현 정부 출범 이후 '탈원전' 정책으로 주가가 3년간 줄곧 내리막을 걸었던 두산중공업이 이번에는 역으로 정부의 '그린뉴딜' 정책 수혜주로 급부상했다. 기존 '석탄·원전 중심' 사업구조에서 탈피해 '해상풍력'을 미래 먹거리로 밀고 가겠다는 청사진을 밝히면서 주가가 민감하게 반응하고 있다. 증권가에서는 정부의 그린뉴딜 정책이 얼마나 원활히 이뤄지느냐에 따라 두산중공업의 체질 개선이 좌우될 것이라는 분석이 나온다.

두산중공업은 문재인 정부의 탈석탄·탈원자력 정책으로 기존 성장동력이 훼손되어 6조 8000억 원에 달하는 기존 사업이 취소하거나 연기됐다. 정부의 발전정책이 신재생에너지로 빠르게 옮겨가고 있는 만큼 주력사업도 전환이 불가피한 상황이다. 정

77) EPL, 2016.10.10. <두산중공업, 3mW 풍력설비로 시장 평정 나선다>

부가 2030년까지 전체 전력량의 20%를 신재생에너지로 공급한다는 정책에 따라 두산중공업은 2030년까지 16.5GW규모의 풍력발전기를 추가로 건설한다. 연평균 1.3GW의 풍력발전기가 발주된다는 것으로 2017년까지 설치된 전체 풍력발전기(1.2GW)를 넘어서는 수치다.

그러나 최근 그린뉴딜 정책의 수혜주가 될 수 있다는 기대감 때문에 두산중공업이 급등세를 보일 수도 있을 것이라는 전망도 제기됐다. 해상풍력사업에서 오는 2025년 연매출 1조원 이상을 달성하겠다고 밝힌 것이 명분이었다. 2019년 전체 매출액 3조7,000억원의 약 27% 수준이다. 2010년 본격적으로 수주에 나선 후 풍력발전 부문에서 누적 수주액 6,600억원을 기록했다는 점을 고려하면 5년 내에 누적 매출액의 1.5배를 연매출로 달성하겠다는 의지를 피력한 것이다.

증권가에서는 두산중공업 사업 전환의 열쇠를 '정부'가 쥐고 있다고 본다. '그린뉴딜' 정책이 두산중공업 입장에서 '레퍼런스(납품실적)'을 쌓을 계기가 될 수 있기 때문이다. 레퍼런스 문제는 그간 두산중공업이 해외 해상풍력발전 시장에 쉽게 진출하지 못했던 이유로 꼽혀왔다. 2018년 베트남전력공사와 3MW 해상풍력 실증단지 건설계약을 체결하면서 시장 진출 이후 약 8년 만에 해외 풍력발전 업계에 처음으로 발을 내디뎠지만 미국 제너럴일렉트릭(GE)이나 독일 지멘스처럼 시장을 선점하고 있던 업체들과 경쟁하기에는 역부족이었다. 이 가운데 국내 풍력발전 시장도 각종 민원·규제, 그리고 정부의 소극적인 육성정책 때문에 성장하는 데 한계가 있었다. 하지만 정부가 코로나19를 계기로 그린뉴딜 카드를 전면에 내세우면서 분위기 반전에 대한 기대감이 나오고 있다. 두산중공업의 경우 지난 15년간 1,800억원을 투자해 추가적인 재무 부담이 크지 않은데다 유휴설비 역시 많아 생산라인 재배치에도 큰 무리는 없다는 분석이다. 문제는 정부 정책이 얼마나 지속성을 가질 수 있느냐다.

나. 동국S&C(100130)

시가총액	3,600억
설립일	2001년 7월 2일
상장일	2009년 8월 31일
매출액	3,178억 4,725만 (2019.12. IFRS 연결)

표 12 동국 S&C 기업정보

1) 기업 현황과 전망

동국 S&C는 풍력발전용 타워와 해상풍력용 구조물 전문제조업체로, 해상풍력발전 단지 조성 사업 진출과 관련해 2009년 7월 10일 한국남동발전, 동양건설산업 및 EURUS ENERGY JAPAN과 J.D.A(공동사업개발협약)를 체결하여 관련 사업을 추진하고 있다. GE Wind Energy, MPSA(미쓰비시), Siemens, Enercon, Vestas, Suzlon, Acciona, JSW(Japan Steel Works) 등의 해외 유수의 거래처와 두산중공업, 현대중공업, 삼성물산, 삼성중공업 등의 국내 거래처를 확보하고 있다.

윈드타워(Wind Tower)는 지상 80~90m 상공에서 회전하는 풍력발전기의 터빈을 지지해 주는 역할을 하는 최장 110m의 풍력발전설비로 품질, 납기, 보안 등이 요구된다. 특히 세계 풍력발전시장이 그 동안 EU 중심에서 벗어나 북미(미국, 캐나다)와 중국, 인도, 일본 등의 아시아시장으로 크게 확대될 것으로 전망되어 미국과 일본지역을 중심으로 판매하고 있는 동국S&C의 수혜폭이 클 것으로 전망되고 있다, 다만 현재까지는 미국풍력시장이 치열한 출혈경쟁과 세제혜택과 관련한 미국정책의 불확실성으로 실적이 아직까지는 부진한 것으로 나타난다.

한편 압력용기와 보일러 제작 사업을 위한 미국기계학회 인증 획득에 이어 해상풍력용 5mW급 타워와 Monopile, Tripod, Jacket 등의 구조물분야에도 진출, 해상풍력용 구조물 제작을 위한 DNV의 DIN 18800-7 공장 인증을 획득함으로써 유럽시장으로의 수출지역 다변화와 함께 향후 수주 추이가 주목된다. 노르웨이 선급협회인 DNV(Det Norske Veritas)는 영국 로이드선급(LR), 미국선급협회(ABS)와 함께 세계 3대 인증기관 중 하나다.

매출구성은 강판외 43.46%, WIND TOWER 39.49%, 건설 15.63%, 제품기타 1.42%로 구성된다.

최근에는 동국S&C는 SK디앤디와 울진 현종산 풍력발전단지 건설공사 계약을 체결했다. 또한 미국과 유럽에서 풍력산업이 활발하게 돌아가면서 동국 지멘스나 베스타스에 납품을 하는 동국S&C에 수혜가 갈 것이다.

다. 씨에스윈드

시가총액	2조 8,719억
설립일	2006년 8월 16일
상장일	2014년 11월 27일
매출액	7,993억 9,072만 (2019.12. IFRS 연결)

표 13 씨에스윈드 기업정보

1) 기업현황과 전망

씨에스윈드는 2006년 8월에 설립된 중산풍력(주)을 모태로 하는 회사로 현재 주력사업은 풍력발전기를 높은 곳에 설치할 수 있도록 해주는 풍력발전 타워, 풍력발전 타워용 알루미늄 플랫폼의 생산이다. 매출액의 99%는 풍력타워용 제품으로 원통형 철구조물인 타워를 전문으로 제조하고 있다. 지난 2003년 베트남에 설립된 이후 중국, 캐나다 등에 글로벌 생산체계를 갖추고, 이를 통해 연간 2,100여기 이상의 풍력타워 생산이 가능한 세계최대 풍력타워 생산능력을 확보한 바 있다. 현재 놀라운 수주를 기록 중이며 2018년 들어 공급계약 체결공시를 통해 발표한 수주액만 2915억원이다.

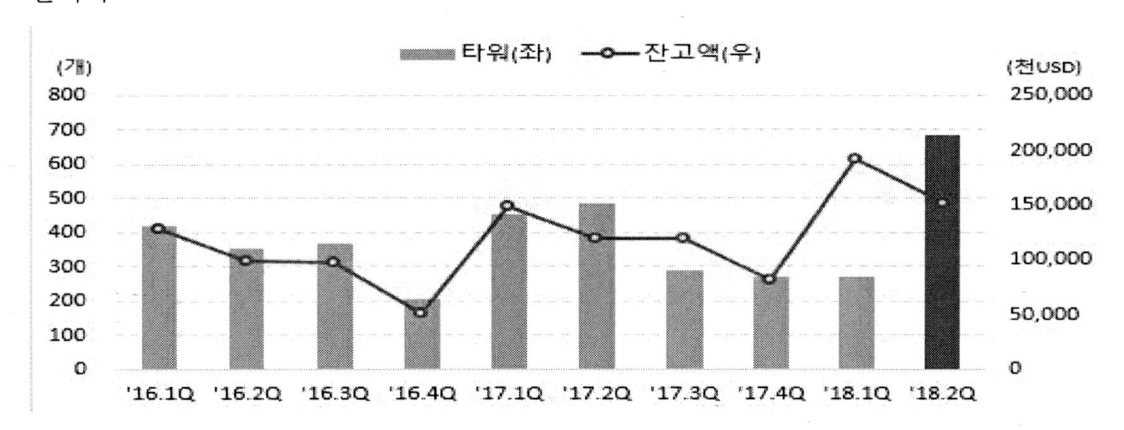

그림 54 씨에스윈드 분기 말 수주잔고(타워, 금액)

78)

78) 자료: 아이투자, 씨에스윈드

씨에스윈드는 1989년 회사 설립 이후 2017년 최대 규모의 영업 손실을 낸 바 있다. 경험이 전무했던 해상 풍력발전 구조물 사업에 뛰어들었다가 납기 지연과 원가 상승으로 200억 원 손실을 본 것이다. 하지만 2018년 들어 씨에스 윈드의 상반기 영업이익은 175억 원을, 영업이익률은 11.75%를 나타냈다. 이와 같은 반전은 계기는 힘든 시기에 과감히 단행한 인수합병(M&A)으로 각각 1파운드와 35억 원에 인수한 영국과 말레이시아법인에서 실적을 냈다, 정부는 그린뉴딜 정책을 내세우며 친환경 에너지 산업을 육성하고 있는 상황에서, 씨에스윈드도 풍력에너지 관련주로 주목받으며 앞으로 계속해서 발전이 기대된다.

라. 스페코

시가총액	1,422억
설립일	1979년 2월 7일
상장일	1997년 11월 3일
매출액	747억 831만 (2019.12. IFRS 연결)

표 14 스페코 기업정보

1) 기업현황과 전망[79][80]

스페코는 1979년 2월 7일에 설립되어 1997년 11월 3일에 한국거래소 코스닥시장에 상장하였으며, 창사 이후 도로 건설 분야의 핵심 설비인 아스팔트 플랜트 등을 제조, 생산, 수출해 오고 있다. 끊임없는 연구개발을 기반으로 국내 도로 건설 현장뿐 아니라 해외 주요 건설사에 수출하여 전 세계 Infrastructure 프로젝트에 동참하며, 세계 도로 건설 발전에 기여하고 있다.

아스팔트 플랜트 사업을 시작으로 콘크리트 플랜트, 크러셔 등의 건설장비 사업과 더불어 풍력 및 방산 설비 사업을 병행하고 있다. 또한, 당사는 4차 산업혁명으로 인한 산업 변화에 대응하기 위해 Smart Factory 구축 등으로 변화와 혁신을 선도하고 있다. 스페코는 우수한 품질의 플랜트를 공급함으로써 전 세계 2,500여 개의

79) 12월 10일의 기업분석 Letter-스페코, 블로거_James Lee, 2020.12.10
80) 스페코 홈페이지

고객사들로부터 세계적 일류 기업으로 인정받아 오고 있다. 각종 설비 전문 제작이 가능하도록 최신식 제조 생산 라인 및 전문 인력을 보유하고 있으며, 국내 생산 거점(충북 음성) 뿐 아니라, 풍력 설비의 경우 멕시코 Monclova 공장을 통해 세계 각지로 수출하고 있다.

주요제품으로는 아스팔트믹싱플랜트, 콘크리트배쳐플랜트, 풍력타워가 있으며 구체적 용도는 플랜트이다. 관련원재료의 경우 내수구매로 이루어졌으며, 주요사업부문은 플랜트 사업부, 풍력부문, 방산설비 부문으로 구성되어있다, 총 2957만 불을 투자하여 스페인 Gamesa에 플랜트 10대를 납품하였으며, 멕시코의 3,000MW규모시장과 북미시장의 선점을 위해 2MW급 1일 1기 생산을 원칙으로 매출 증가 모습을 보이고 있다.

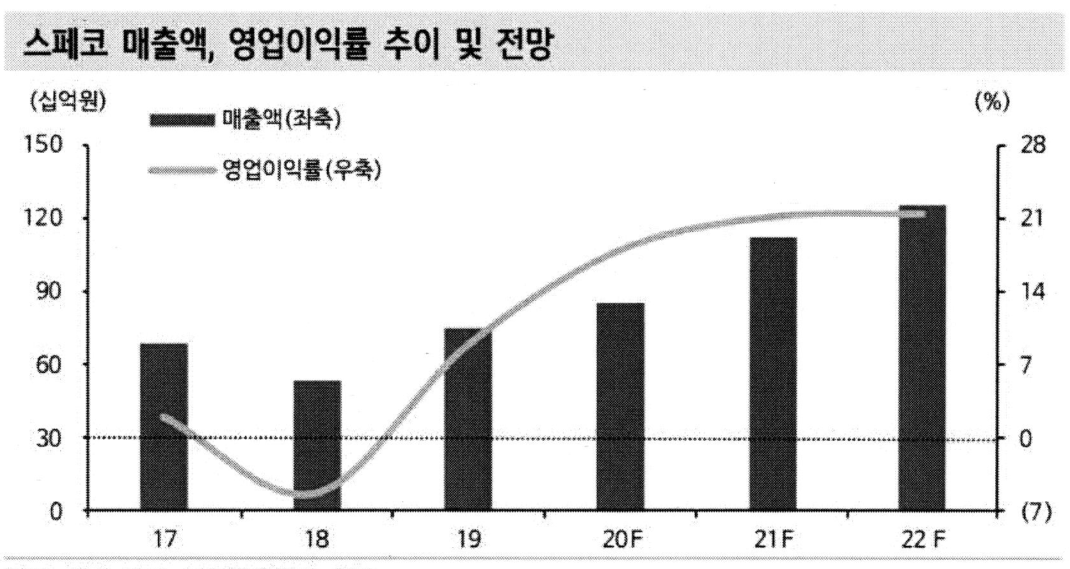

자료: 회사 자료, 신한금융투자 추정

최근 친환경 에너지 관련테마가 주목받으며, 풍력발전에 대한 관심이 뜨겁다. 풍력타워 사업부문의 고성장으로 주가가 크게 상승한 스페코도 2019년부터 턴어라운드를 보여주면서 가파른 실적 성장이 진행중이다. 스페코의 경우에는 멕시코 공장을 통해 멕시코와 텍사스의 장기적인 풍력 산업 성장 수혜를 누릴 수 있다는 점에서 성장이 한동안 지속될 것으로 예상된다.

초판 1쇄 인쇄 2021년 4월 10일
초판 1쇄 발행 2021년 4월 19일

저자 비피기술거래 비피제이기술거래
펴낸곳 비티타임즈
발행자번호 959406
주소 전북 전주시 서신동 780-2 3층
대표전화 063 277 3557
팩스 063 277 3558
이메일 bpj3558@naver.com
ISBN 979-11-6345-256-0(93530)

이 도서의 국립중앙도서관 출판예정도서목록(CIP)은 서지정보유통지원시스템홈페이지(http://seoji.nl.go.kr)와국가자료공동목록시스템 (http://www.nl.go.kr/kolisnet)에서 이용하실 수 있습니다.